KB104758

수염을 깎다。
그리고 여고생을
줍다。
4
시메사바 지음
아다치 이마루 일러스트
부―타 캐릭터 원안

contents

수염을 깎다. 그리고 여고생을 줍다.

시메사바 지음
아다치 이마루 일러스트
부—타 캐릭터 원안

Carnival

HIGE WO SORU. SOSHITE JOSHIKOUSEI WO HIROU. Vol.4

1화 올바름

"올바르게 살거라."

아버지가 곧잘 하던 말이다.

어렸을 때부터 이 말을 여러 번 들으면서 자랐다.

아버지는 정말 천성이 온화한 사람으로, 그 인생 또한 경력만 놓고 보면 특별한 구석이 전혀 없었다. 동네 초등학교에 다니고 동네 중학교에 다니다가 면학에 힘써 수준 높은 고등학교에 입학했고, 이른바 명문이라고 불리는 대학에 합격하여 학교생활을 마친 뒤에는 공무원이 되었다.

어머니와 나를 부양하는 공무원 아버지를 보던 어린 시절의 나는, 딱히 복잡한 생각 없이 '올바름'이란 아버지 같은 사람을 가리키는 말이라고 여겼다.

하지만 나이를 먹을수록 나는 '올바름'이 무엇을 의미하는지 알 수 없게 되었다.

분명 상대의 이기심이 원인이 되어 싸웠는데 종종 내가 나쁜 놈이 될 때가 있는가 하면, 전혀 나쁜 일을 하지 않은 아이가 갑자기 반에서 괴롭힘을 당하는 등 미성년자 집단이라는 곳에는 불합리한 일투성이였다.

무언가 알 수 없는 일이 있을 때마다 나는 아버지에게 '그건 왜 그런 거야?'라고 물었다. 아버지라면 명확한 해답을 갖고 있을 거라고 마음속 어딘가에서 기대했다.

하지만 내가 그런 질문을 했을 때 돌아오는 아버지의 대답은 어린 내 기대를 배신했다.

"딱히 뭐라고 할 수 없는데."

아버지는 곧잘 이렇게 말했다.

"네 눈에는 상대가 틀린 것처럼 보일지 모르지만 분명 그 아이에게도 그 아이 나름대로 사정이 있겠지."

아버지의 대답은 이런 것뿐으로 어린 시절의 나는 몹시 혼란스러웠다.

당하는 입장에서는 전혀 이해할 수 없는 불합리한 일에 아버지는 매번 '상대에게도 사정이 있겠지'라고 말했다. 확실히 사정은 있을지 모르지만, 그렇다고 해서 명백히 올바르지 않게 행동하는 쪽의 편을 들어야 하는지 어떤지는 항상 의문이었다.

언젠가 그런 불만이 폭발해서 나는 아버지에게 이렇게 말한 적이 있다.

"올바르게 살라며! 계속 '딱히 뭐라고 할 수 없는데'라고 말하는 게 올바른 거야?!"

저녁 식사 도중 큰 소리로 그렇게 외치자 아버지는 한숨을 한 번 쉬고는 이렇게 대답했다.

"절대적으로 올바른 건 없으니까."

그 대답에 어안이 벙벙해졌던 것을 기억한다.

아버지는 천천히 말을 이었다.

"올바른 선택을 하는 일보다 중요한 게 있지."

충분히 뜸을 들이고 나서 아버지가 한 말을 나는 지금까지 한 번도 잊은 적이 없다.

"그것은… 올바르고자 하는 거야. 무엇이 올바른지 계속 생각하는 게… 중요해."

*

눈앞에 선 사유의 오빠라는 남자, 오기아라 잇사를 보며 나는 슬며시 등에 식은땀이 배어나는 것을 느꼈다.

사유의 반응을 보건대 이 남자가 사유의 친오빠인지 아닌지는 둘째치더라도 관계자임에는 틀림없었다.

그녀를 데려가려고 왔다는 말도 농담 같지는 않다. 실제로 사유가 얹혀살고 있는 이 집을 정확하게 찾아내어 직접 방문했으니까.

아무런 말도 못 하고 입만 뻐끔거리는 내게서 일단 시선을 거둔 잇사는 집 안에 있는 사유에게 말을 건넸다.

“계속 이렇게 살 수 없다는 건 알고 있었을 텐데. 충동적인 행동은 이제 적당히 하고 집에 돌아오지 않을래?”

잇사의 말에 사유는 몇 초간 침묵한 뒤, 눈동자가 흔들리면서도 고개를 가로저었다.

“…싫어.”

그렇게 말하고 나서 사유는 잇사를 가만히 바라보고 또다시 말했다.

“아직 돌아갈 각오가… 안 됐어.”

“언제까지 그런 어린애 같은 소리를 할 거야!!”

사유의 말을 부정하듯이 눈앞의 잇사가 고함을 질렀다. 사유의 어깨가 움찔한다.

“자신의 생계도 스스로 꾸릴 수 없는 주제에 무슨 가출이야! 나와의 연락도 멋대로 끊고 지금까지 되는 대로 살다가 이런 곳까지 흘러왔겠지! 그러다가 변변찮은 놈한테 걸리면 어쩌려고?”

“그건… 요시다 씨는 좋은 사람이야.”

“사유, 어른은 아이와 달리 얼마든지 ‘좋은 사람’인 척할 수 있어. 사람 좋아 보이는 얼굴을 하고 속으로는 얼마나 흉악한 생각을 하고 있을지 알 수가…."

"요시다 씨는 그런 사람이 아냐!!"

잇사의 말을 가로막으며 사유가 외쳤다. 이번에는 잇사의 어깨가 움찔했다. 사유가 소리 지르는 모습은 처음 보는 터라 내 눈도 저절로 동그래졌다.

"나를 나무라는 데 요시다 씨를 이용하지 마."

단호하게 말을 내뱉은 뒤, 사유는 자기 자신의 발언에 놀란 듯 흠칫하더니 부자연스럽게 시선을 바닥에 떨구었다.

입을 딱 벌리고 있던 잇사도 몇 초 후 하고 싶은 말을 떠올린 듯 다시 입을 연다.

"…확실히, 잘 모르는 사람을 나쁘게 말한 것은 좋지 않았어. 죄송합니다."

"네에… 아뇨, 별말씀을."

느닷없이 고개를 숙인 잇사에게 나는 어색하게 대답했다.

예의는 지켰다는 듯이 곧바로 내게서 사유 쪽으로 시선을 옮기고 잇사는 말을 이었다.

"하지만 사유가 어떻게 생각하든 이 이상 가출을 지속하기는 힘들어."

그 말에 사유는 무언가 알아차린 듯 불안한 기색으로 고개를 들고 잇사를 보았다.

사유와 눈을 마주한 채 잇사는 천천히 말했다.

"…어머니가, 사유를 걱정하고 있어."

그 말을 들은 순간, 내 눈에도 뚜렷이 보일 만큼 사유의 눈동자의 온도가 내려갔다. 잇사의 옆얼굴을 흘끗 훔쳐보니 어째서인지 그도 긴장한 표정을 짓고 있다.

"…그건, 거짓말."

놀라울 만큼 차가운 목소리로 사유가 말했다.

"어머니가 나를 걱정하고 있을 리 없잖아."

그렇게 말하는 사유의 눈동자에는 이 집에 갓 들어왔을 무렵의 사유와 겹치는 부분이 있어서 가슴이 욱신거렸다.

잇사는 잠시 말을 신중하게 고르듯 낮은 위치에서 시선을 이리저리 굴린 뒤 천천히 말했다.

"…적어도, 사유를 찾고는 있어. 신경 쓰고 있어."

"어째서?"

반사적인 사유의 물음에 나는 괜히 슬퍼졌다.

부모가 가출한 자식을 신경 쓴다는데 자식이 '어째서?'라고 묻는다. 그것만으로도 사유가 지금까지 일반적으로 상상할 수 있는 부모 자식 관계를 맺어 오지 못했음을 손바닥 보듯 훤히 알 수 있다.

"어머니가 나를 찾을 이유가 없잖아."

"그건…."

잇사가 눈에 띄게 말을 망설였다.

몇 초간 침묵이 이어지는 사이 가까스로 조금 긴장이 풀린 나는, 나와 잇사가 현관에 서 있음을 깨달았다.

"저기, 말씀하시는 중에 죄송하지만."

내 말에 잇사와 사유의 시선이 내게 모였다.

"…들어와서 얘기하시죠?"

내 말에 잇사는 잠시 생각한 뒤,

"…그렇게 하죠."

라고 대답했다.

*

나는 사유에게 "차라도 내드려."라고 말한 뒤 휴대전화를 들고 베란다로 나갔다.

베란다에 나가기 직전, 테이블 앞에 불편한 모습으로 앉아 있던 잇사가 "어느 분께 연락을?"이라고 묻기에 "회사입니다. 아무래도 쉬지 않고서는 천천히 이야기할 수 없을 테니까요."라고 대답했더니 잇사는 멋쩍은 듯 "그렇군요… 그렇겠죠." 하고는 "폐를 끼쳐 죄송합니다."라고 덧붙였다.

왠지 모르게 이 사람도 나쁜 사람은 아니라는 생각이 들었다.

회사에 몸이 안 좋아서 쉰다고 연락하자, 십중팔구 쓴소리를 들을 줄 알았지만 [네가 아프다니 웬일이야! 푹 쉬고 얼른 나와.]라는 말이 전부였다.

입사하고 처음 부린 꾀병이 쉽게 먹혀 기분이 이상했다.

분명 사유가 오기 전이었다면 꾀병을 부린 그날 자신을 절대 용서하지 못했으리라. 그렇지만 지금의 나는 쉽게 일보다 사유 쪽을 우선하고 말았다.

멍하니, 아버지의 말을 떠올린다.

'올바르고자 하는 거야.'

그런 말만 하는 아버지 밑에서 자라면서 나는 늘 자신의 행동이 '올바른지' 어떤지 생각해 왔다. 지금도 계속 생각하고 있다.

얼마 전의 나라면 어떤 이유로든 꾀병을 부려 회사를 쉬는 일은 없었을 것이다. 그러나 지금은 사유를 위해 시간을 쓰는 것이 올바른 일이라고 믿어 의심치 않는 자신이 있다.

사유를 우리 집에 머물게 하기로 결심했을 때.

나는 분명 그것이 '잘못'인 줄 알면서도 그 생각을 무시하듯 그녀를 거두었다.

그런데 사유와 함께 생활하면 할수록 무엇이 '올바른' 일인지 알 수 없게 되었다.

틀림없이 과거에 뭔가 큰 상처를 입었을 그녀를 그 상처가 아물기도 전에 내치는 것이 올바른 일이라고는 도저히 생각되지 않는다. 그렇다고 우리 집에 무한정 머물게 하는 것이 올바르다고도 결코 생각되지 않았다.

겨우 사유 스스로가 애매하게나마 동거의 '기한'을 설정해 주어 기뻤으나, 그런 만큼 갈등도 생겼다.

그 자연스럽게 '배시시' 웃는 얼굴을 어떻게 하면 지켜 줄 수 있을지, 그것만 생각하려고 해도 답은 옅은 안개 속에 감추어져 가듯 점점 알 수가 없다.

모르겠다, 모르겠다, 하는 사이 마침내 명확한 타임 리밋이 찾아왔다.

시간이 없는 지금, 나는 사유가 '올바른' 선택을 할 수 있도록 도울 수 있을까.

그것만이 내가 생각해야 하는 일 같았다.

수염을 깎다.
그리고 여고생을
줍다.

2화 오빠

"일단 지금까지 사유를 맡아 주셔서 감사합니다."

사유가 우린 녹차를 몇 모금 마시고서 마음을 가라앉힌 뒤 잇사가 이야기를 재개하듯 내게 말했다.

"아니요…. 감사를 받을 일이 아닌… 것 같은데요."

"아닙니다, 얼마나 열악한 환경에 처해 있을지 걱정하면서 상황을 살피러 왔거든요. 보기에는 지극히 평범한 집이고 당신도 사유에게 무척 신뢰받고 있는 듯해서요."

조금 가시 돋친 표현을 선택하긴 했으나 그 말에서 정말 '안심했다'는 기분이 배어 나와 잇사가 진정 사유를 걱정하고 있다는 것만큼은 전해져 왔다.

오빠에게는 제대로 사랑받고 있잖아, 라고 생각했다.

지금까지 사유의 발언에서 이따금 그녀의 가정환경이 좋지 않다는 것을 느끼기는 했으나 그것이 실제로 어느 정도인지는 일절 건드리지 않고 오늘에 이르렀다.

따라서 '적어도 오빠는 사유 편이다'라는 것을 알고서 지금은 살짝 안심했다.

"다시 확인하겠는데⋯."

잇사는 조금 말하기 거북한 듯 몇 초간 뜸을 들인 후 나와 사유를 번갈아 보고 말했다.

"두 사람 사이에 거리낄 일은 전혀 없는 거죠?"

"없습니다."

"없다고 했잖아!"

나는 딱 잘라 부인했고, 사유는 얼굴을 붉히면서 화가 난 듯 부인했다.

몇 분 전에도 똑같은 질문에 비슷하게 반응하며 대꾸한 참이다.

하지만 이것만큼은 혈육에게는 정말로 중요한 일일 테니 나로서는 몇 번을 질문받더라도 어쩔 수 없다.

우리 집에 굴러 들어오기 전에는 그런 일을 했다, 라고는 역시 말할 수 없을 것 같다.

"집안일만 시키면서 이토록 오랫동안 여고생을 데리고 있다는 건 제정신으로 할 짓이 아니라고 생각합니다만⋯ 그렇다면 정말 다행입니다."

"당연한 일이라고⋯ 생각합니다. 저는."

내 대답에 잇사는 뭐라 형언할 수 없는 표정을 짓고 몇 번이나 고개를 끄덕였다.

"어른들이 모두 요시다 씨 같은 사람이면 좋을 텐데요…."

잇사의 말에 뭐라고 대답하면 좋을지 몰라서 나는 테이블 위로 시선을 돌렸다. 그대로 슬쩍 사유를 보니, 사유는 아까보다 긴장이 풀린 듯 어쩐지 평온한 얼굴을 하고 있었다.

잠시 평온한 침묵이 흐른 후 잇사가 입을 열었다.

"그럼 본론으로 들어가서."

사유와 잇사의 시선이 교차했다.

"어머니가 사유를 데려오라고 내게 직접 말했어."

"…그랬구나."

사유의 표정이 어두워진다.

"…그래도 딱히 날 걱정하는 건 아니겠지."

"그건…."

"됐어, 신경 쓰지 않아. 진짜 이유를 가르쳐 줘."

사유는 차분하게, 그러나 평소의 느긋한 어조보다는 또렷하게 그렇게 말했다.

잇사는 정말 벌레라도 씹은 듯한 표정을 지은 후 천천히 말했다.

"PTA*로부터 딸을 감금하고 있는 게 아니냐는 의심을 받기 시작했나 봐…."

잇사의 그 말에 집 안이 조용해졌다. 사유도 나도 아무런 말을 할 수 없다.

"사유가 집을 나간 후로 여러 번 담임교사가 집에 찾아왔나 봐. 뭐, 그건 당연하겠지… 어머니는 일이 커지는 게 싫어서 사유의 가출 사실을 누구에게도 말하지 않았어. 그렇게 되면 겉으로 보기에 사유는 그냥 등교 거부일 뿐이지."

나와 사유는 잇사의 말을 가만히 듣고 있다. '일이 커지는 게 싫어서'라는 말이 심한 위화감과 함께 마음에 걸린다.

딸이 가출했는데 딸의 안위보다 먼저 신경 쓰는 것이 '일이 커지는 것'인가? 사유의 발언을 통해 부모와의 사이가 나쁜 건 예상했지만, 생각보다 훨씬 이해할 수 없는 감각을 지닌 부모인 것 같다.

잇사는 테이블에 시선을 떨군 채 말을 이었다.

"당연히 담임교사는 여러 번 집에 찾아왔었고 그때마다 어머니는 '딸이 방에서 나오질 않아서요'라며 쫓아 보냈어. 그 일이 반년도 넘게 쭉 이어졌으니… 뭐, 의심받아도 이상할 게 없지. 그래서."

"그 오해를 푸는 데 필요하니까 돌아오라는 거구나."

사유는 완전히 차가워진 목소리로 그렇게 말했다.

※PTA : 학부모 교사 연합회(Parent-Teacher Association). 각 학교에 조직된 학부모와 교직원에 의한 교육 관련 단체.

잇사는 무슨 말을 하려다 말고 꿀꺽 숨을 삼켰다. 그러고는 조용히 고개를 끄덕였다.

사유는 눈을 내리깔고, 나도 무심결에 눈살을 찌푸리고 만다.

아직 사유가 어떤 이유로 집을 나왔는지 자세한 사정은 모른다. 하지만 어머니가 그 큰 요인으로 자리하고 있으리라는 것만큼은 알았다.

어째서 이렇게 마음씨 착한 여자아이가 부모에게 그런 취급을 받는지 나로서는 짐작도 안 간다. 짐작도 가지 않는 만큼 역시 분노가 치밀어 오른다.

"어째서 사유가 가출을 했는지에 대해서는."

정신을 차려 보니 나는 말하고 있었다. 둘의 시선이 내게 모인다.

"어머니는 전혀 생각하고 있지 않다는 건가…?"

내가 단언하자 잇사는 몇 초간 시선을 아래로 떨군 후 작게 몇 번 고개를 끄덕였다.

"…전혀 생각하고 있지 않다고 단언할 순 없지만. 그렇다고 깊이 생각하고 있다고도… 볼 수 없죠."

그 대답에 나는 무심코 한숨을 쉬었다.

"…사유의 가출 원인을 제가 먼저 캐물은 적은 없지만."

어머니가 이토록 딸을 걱정하지 않는다면 사유의 가출 원인 대부분이 어머니에게 있으리라는 것은 짐작이 간다.

"지금의 이야기로 왠지 모르게 알았습니다."

내 말에 잇사도 한숨을 쉬고서 "부끄럽습니다."라고 대답했다.

다시 실내에 침묵이 찾아와 나 역시 뭐라 형언할 수 없는 안타까운 마음이 가슴속에서 소용돌이치는 것을 느끼면서 고개를 숙이고 있자니, 문득 사유 쪽에서 시선이 느껴졌다.

고개를 들자 사유는 역시 나를 바라보고 있어 시선이 부딪쳤다.

"왜 그래?"

묻자 사유는 조금 뜸을 들이더니 난처한 듯 미소 짓고 고개를 숙였다.

"미안, 놀랐지… 갑자기 이렇게 돼서."

사유의 그 말에 나는 갑자기 분노를 닮은 감정이 치미는 것을 느꼈다.

하지만 그 분노가 어디를 향한 것인지, 그리고 어떤 분노인지 몰라 나는 그것을 가슴속 깊이 꾹 억누르고 크게 숨을 들이마셨다.

"놀란 건… 너도 마찬가지잖아."

간신히 말을 쥐어짠다.

"아마도… 나나 너나 마음속 어딘가에서, 네가 집에 돌아가는 것은 네가 각오를 다진 다음이니 모든 건 너한테 달렸다고 생각하고 있었겠지."

"…응."

"그런데 그렇지 않다는 것을 알았을 뿐이야."

되도록 상황을 심플하게 바꿔 말한다. 그러나 심플하게 정리하면 할수록 '뜻대로 되지 않는다'는 생각밖에 들지 않았다.

사유도 한 번 고개를 끄덕이고 그대로 고개를 숙인 채 입을 다물어 버렸다.

"사유는…."

나는 잇사 쪽으로 시선을 돌렸다.

"사유는… 반드시 돌아가야 합니까?"

내가 묻자 잇사는 난처한 듯 미간에 주름을 잡고 조용히 고개를 끄덕였다.

"저희 어머니는 한 번 이야기가 나왔으면 멈추지 않습니다. 아무래도 이대로 계속 어딘가로 피하긴 힘들 겁니다."

"며칠 유예를 얻을 순 없을까요?"

"며칠…?"

내 말에 잇사가 고개를 갸웃했다.

가만히 잇사의 눈을 보며 덧붙인다.

"사유는 집으로 돌아갈 각오를 열심히 다지고 있었습니다. 하지만 아직 조금 시간이 부족해 보입니다. 오늘이 오기 전에 '그럼 별수 없으니 돌아갈게요'라고 결심할 수 있었다면 애초에 이런 곳까지 도망쳐 오는 일도 없었겠죠."

잇사는 내 말을 가만히 듣고 있다.

"그러니까 며칠만이라도 좋으니 사유에게 유예를 주지 않으시겠습니까. 천천히 생각할 시간이… 필요할 겁니다."

내가 말을 마치자 잇사는 몇 초 동안 내 눈을 가만히 바라보고는, 슥 시선을 피하여 생각에 잠겼다.

그러고는 천천히 입을 연다.

"잠깐 사유와 둘이 얘기하게 해 주시겠습니까. 이대로 갑자기 데리고 돌아가지는 않는다고 약속하겠습니다."

잇사의 표정은 진지함 그 자체로, 나를 속일 것처럼은 보이지 않는다. 물론 이곳은 우리 집이기는 하나 지금 논의하는 것은 사유의 거취이고, 사유를 어떻게 처리할지는 명백히 잇사 쪽에 결정권이 있는 듯하다. 이 상태에서 내게 '이대로 갑자기 데리고 돌아가지는 않는다'라고 굳이 맹세한 것은 나에게나 사유에게나 최대한 경의를 표한 행동이리라.

"…알겠습니다."

딱히 그 부탁을 거절할 이유도 떠오르지 않아 나는 고개를 끄덕였다.

잇사는 조금 안심한 듯 표정을 누그러뜨리고 사유를 보았다.

"사유도 괜찮겠어?"

"…응."

사유는 침착한 얼굴로 대답하고 천천히 일어섰다. 하지만 그 직후 자신이 실내복 차림이었음을 깨달은 듯 당황하여 이리저리 시선을 헤매더니, "옷 갈아입고 나서 가도 돼?"라고 물었다.

잇사는 쓴웃음을 지으며 허락하고 "먼저 차에 가 있을게." 하더니 내게 묵례하고 집을 나갔다.

집 안에 사유와 단둘이 남게 되자 다시 침묵이 깔렸다.

"…오, 옷 갈아입을게."

사유가 어색하게 말하기에 나도 "으, 으응." 하고 어색하게 대꾸한다.

침대 위에 앉아 벽 쪽을 바라보고 있으니 사유가 재빨리 옷을 갈아입기 시작했다. 옷자락이 스치는 소리를 들으며 나는 뭐라 형언할 수 없는 뒤숭숭한 기분에 휩싸였다.

사유가 집으로 돌아간다.

그것은 원래 나와 사유의 공통 목표였을 텐데.

그런데도 막상 그 기한이 눈앞에 다가오니 어떻게 하면 좋을지 모르겠다.

사유는… 사유는 어떻게 생각하고 있을까.

"요시다 씨."

사유를 생각하던 찰나 사유가 불러 무심코 어깨를 움찔한다.

"왜 그래?"

돌아보려고 하는데 그와 동시에 갑자기 등이 따뜻해졌다. 그리고 시야 양옆에서 사유의 팔이 쑥 돌아 나와 내 양어깨에 휘감겼다. 이내 사유가 뒤에서 껴안았음을 깨달았다.

"왜… 왜 그래…."

사유의 갑작스러운 행동에 놀라자 머리 바로 뒤에서 사유가 말하기 시작했다.

"…조금, 무서운 것… 같아서."

사유의 말을 듣고 나는 뭐라 대답하면 좋을지 몰라 망설였다.

"각오를 다져야 한다고 생각했는데… 막상 갑자기 이런 상황이 찾아오니… 역시 제자리걸음을 하게 돼."

사유는 내 목 근처에 얼굴을 묻은 채 작은 목소리로 말했다.

"나는 역시… 나약한 것 같아."

사유의 그 말에 나는 몸서리를 치며 반사적으로 내 어깨에 둘러진 사유의 손을 잡았다.

"괜찮아."

나는 무언가를 생각하기도 전에 그렇게 말했다.

"나도… 지금, 굉장히."

자신의 목소리가 떨리는 게 느껴진다. 그러나 이 말만큼은 지금 해야 한다고 생각했다.

"…무서운 것 같아."

내가 말하자 사유의 몸이 움찔한 게 전해져 왔다.

천천히 돌아보자 지척에서 사유와 눈이 마주쳤다.

"무서운 건 나도 마찬가지야. …그러니까 괜찮아."

사유는 몇 초간 멍한 표정으로 나를 쳐다보다가 정신이 번쩍 든 듯 눈을 동그랗게 떴다.

사유가 내게서 슥 떨어진다. 그러고는 교복 스커트의 플리츠를 쭉 잡아당기며 뭐라 형언할 수 없는 부드러운 미소를 지었다.

"요시다 씨는 정말."

사유는 거기서 말을 끊고 한 박자 쉬더니 천천히 말했다.

"함께 있으면 안심이 되네."

그리고 이번에는 조금 전보다 힘차게, 내게 보여 주듯 씩 웃는 사유.

"고마워. 다녀올게."

"…어, 다녀와."

강한 척하고 있음을 확연히 알 수 있는 미소였으나 그래도 조금 전까지의 망설임은 사라진 것처럼 보였다.

신발을 신고 집을 나서는 사유를 지켜보며 나는 푹 한숨을 쉬었다.

사유와 그녀의 오빠가 어떻게 할지는 둘이서 충분히 이야기한 후 결정할 것이다.

남은 건… 내가 어떻게 할지다.

얼굴을 찰싹 때리고 세면실로 향한다. 차가운 물로 세수한 뒤 나는 면도기를 손에 들고 스위치를 켰다.

*

“그 사람은… 진심으로 너를 걱정해 주는구나.”

운전석에 앉은 오빠가 그렇게 말했다.

“응.”

내가 대답하자 오빠는 작게 한숨을 쉬고는 “다행이다.”라고 중얼거렸다.

“어떤 인간의 집에 머무르고 있을지 생각하니 속이 속이 아니었어. 순수한 선의로 남의 집 자식을 데리고 있는 어른은 거의 없으니까. 나쁜 어른한테 걸려 큰 봉변을 당하지는 않았나 줄곧 걱정했어.”

오빠의 그 말에 조금 가슴이 아프다. 나는 오빠가 우려하는 ‘나쁜 어른’의 집을 전전해 왔기 때문이다.

오빠가 나를 진심으로 걱정하는 줄 알면서도, 나는 오빠의 호의가 담긴 가출 자금을 연이은 숙박으로 탕진했고, ‘돈이 떨어지면 돌아와’라는 오빠의 말에 반항하여 그대로 연락을 끊고 도망쳤다. 그 결과, 한 번뿐인 첫 경험과 함께 건전한 윤리관까지 잃을 뻔했다.

요시다 씨의 집을 알아냈을 정도니 내가 어떤 경위로 이런 곳까지 흘러들었는지도 알아냈을지 모른다는 생각에 오빠의 옆 얼굴을 흘끗 살펴보았으나, 오빠는 핸들을 물끄러미 바라볼 뿐 뭔가 말하고 싶은 기색을 내비치는 것도 아니다.

오빠가 내 여행의 과정을 알든 모르든… 지금은 오빠에게 결코 그 이야기를 할 수 없겠지.

조용한 차 안에 잠시 침묵이 감돌고.

"…최근에는 거의 매일 어머니한테서 전화가 와. 사유를 찾았는지 어떤지 매일 매일 내게 물어봐."

"…그렇구나."

"…네 말대로 어머니는 딱히 너를 걱정하고 있는 게 아닌 것 같아… 아마도. 그저…."

"알아. 안다고…. 히스테리를 일으키는 거지."

내가 말하자 오빠는 씁쓸한 표정을 지으며 말없이 고개를 끄덕였다.

"'그 일'이 있고 나서 어머니는 정말 불안정해지고 말았어. 사유가 집을 나간 후로는… 더 심해졌지."

그 일이라는 단어와, 내가 사라진 뒤로 어머니가 더욱 불안정해졌다는 사실 모두가 내 가슴을 옥죄었다.

딱히 내가 사라진 것이 걱정되어 불안정해진 게 아님을 안다. 그래도 나 때문에 가족이 이상해졌다는데 아무런 감정도 느끼지 못할 만큼 나는 박정한 사람이 못 된다.

그렇지만 역시 그대로 집에 있을 수 있었겠느냐고 묻는다면, 무리라고 대답할 수밖에 없을 것 같다.

솔직히 지금도 그 집에 돌아가고 싶은 마음은 없다. '그 기억'을 짊어진 채 그 집에서 누구의 도움도 받지 못하고 살아갈 수 있을 만큼 내 마음은 강하지 않다.

요시다 씨 같은 사람이 가까이 있어 준다면….

그런 생각을 하고는 곧 내 자신이 한심해졌다.

집에 돌아갈 각오를 다지겠다고 요시다 씨에게 선언하고 노력해 오지 않았던가.

오빠가 찾아왔고, 이제는 아무리 발버둥 쳐도 그 집에 돌아갈 수밖에 없게 되었다. 그런 상황이 되었는데도 여전히 나는 나 이외의 누군가에게 어리광을 부리려고 한다.

"나도 최대한 할 수 있는 만큼 사유를 서포트할 거야. 그러니 일단 돌아오는 편이 좋아."

오빠가 내 눈을 지그시 바라보며 말했다.

"괴로운 건 알아, 알지…. 하지만 계속 도망칠 수만은 없어. 현실로 돌아와서 천천히 몸을 적응시킬 시간이 필요해."

오빠의 말은 절실해서 내게 이 말을 하려니 본인도 괴롭다는 감정이 고스란히 전해져 온다. 정말로 나를 생각해서 모질게 말하고 있다.

그건 알고 있지만….

"미안…."

맨 처음 입에서 나온 말은 그것이었다.

"아직 각오가 되지 않았어…. 뭐라고 할까. 나, 처음에는 그저 괴로워서 도망친 것뿐이었어."

내 말을 오빠는 말없이 듣고 있다.

"하지만 도망쳐 간 곳에서도 결국은 괴로웠지. 진정한 의미에서 나를 지켜 주는 사람 따위는 전혀 없어서 어딜 가든 나는 혼자인 것 같아서. 그러다… 요시다 씨를 만났어."

머릿속을 정리하지 않고 이야기를 시작했는데도 이상하게 차츰 가슴속에서 말이 샘솟았다. 스스로도 놀라울 만큼 내 속마음이 또렷이 언어가 되어 몸 밖으로 풀려나온다.

"요시다 씨는 내가 얼마나 바보인지, 얼마나 소중한 것을 잃은 채 이곳에 왔는지 가르쳐 주었어. 그래서 나… 내가 어떻게 해야 하는지 나 스스로가 충분히 고민해야 한다고… 생각하게 되었어."

내 말에 오빠가 숨을 삼키는 소리가 들렸다. 오빠는 내 말을 어떤 마음으로 듣고 있을까.

"뭐라고 할까…. 나는 이런 곳까지 와서 무엇을 얻어 돌아가는 걸까, 하는. 그런 것을… 요 몇 주간 생각했어. 그 답을 알기 전에는…."

나는 일단 말을 끊고 오빠를 보았다. 오빠와 눈이 딱 마주친

다.

"…돌아가고 싶지 않아."

내가 확실하게 말로 표현하자 오빠는 몹시 동요한 채 내게서 눈을 돌렸다.

"그렇구나…."

오빠는 작은 목소리로 중얼거리더니 목뒤를 긁적이고 핸들에 손을 올렸다. 그러고는 어딘가 어수선하게 손가락으로 핸들을 톡톡 두드렸다.

오빠는 중얼거리듯 말했다.

"너도 조금… 변했구나."

"어?"

내가 반문하자 오빠는 쓴웃음을 짓고 지금까지보다 조금 다정한 목소리로,

"전보다 의사 표현이 확실해졌어."

라고 대답했다.

그렇게 말한 오빠는 기쁜 표정이어서 나도 왠지 겸연쩍은 기분에 사로잡혔다.

"응… 그럴지도."

내가 인정하자 오빠는 다시 한번 훗, 하고 웃었다. 그리고 금세 진지한 표정으로 돌아왔다.

"네 마음은 알았어. 하지만 역시 별로 유예는 없다고 생각해

주었으면 해. 내가 벌 수 있는 시간은 기껏해야 일주일이야.”

나는 오빠의 말에 놀라서 그의 옆얼굴을 가만히 쳐다보았다.

오빠도 시선을 돌려 나와 눈이 마주쳤다.

“일주일 정도라면 ‘아직 못 찾았다’라고 속일 수 있어. 하지만 그 이상은 안 돼. 내가 나서서 수색하는데 그렇게 오래 걸릴 리 없다는 것은 어머니도 알아.”

“그 말은….”

내가 오빠의 옆얼굴을 가만히 쳐다보자, 그는 흠, 하며 나를 보지 않은 채 말했다.

“일주일 동안 천천히 생각하면 된다는 뜻이야. 그… 요시다라는 사람도 뭐, 믿을 수 있다는 건 알았어.”

조금 쑥스러운 듯 그렇게 말하는 오빠를 보면서 나는 가슴속에 넘쳐흐르는 뜨거운 감정을 억누를 수 없어 몸을 날리듯이 오빠에게 달려들었다.

“고마워!”

“으악! 위험하잖아!”

오랜만에 닿은 오빠에게서는 역시 전과 같은 향수 냄새가 났는데, 굉장히 따뜻했다.

살짝 눈물이 날 것 같았으나 참았다.

*

"다녀왔어."

돌아온 사유의 표정은 어딘지 평온했다.

"그래."

내가 대꾸하자 사유는 기쁜 듯 웃으며 거실까지 쭈뼛쭈뼛 걸어 들어온다. 그리고 조금 어색하게 카펫 위에 털썩 앉았다.

"조금 더… 이곳에 있을 수 있게 되었어."

"그렇구나…. 얼마나?"

"일주일…이래."

"그렇군."

일주일.

사유의 오빠가 갑자기 나타났을 때는 이대로 당장 사유가 끌려갈지도 몰라 초조함으로 머릿속이 가득 찼으나, 뜻밖에도 사유의 오빠는 사유를 첫 번째로 생각해 준 모양이다.

이런 걸 내가 생각하는 것 자체가 주제넘은 일 같기도 하지만 무척 안심이 되었다.

"그럼… 앞으로 일주일 동안 너 나름대로 분발해야겠네."

내가 말하자 사유는 천천히 고개를 끄덕였다.

"응… 제대로, 생각해야 할 것을 천천히 생각할래."

"그러는 게 좋아."

거기서 대화는 종료되고 한동안 침묵이 이어졌다.

그런데 아무래도 사유가 이상했다. 무언가 말하고 싶은 듯 나에게 시선을 건네고는 바로 고개를 숙인다. 그 행동을 몇 번이나 되풀이하고 있다.

"뭐야?"

보다 못해 묻자 사유가 어깨를 움찔했다.

"아니, 그게…."

"응?"

사유는 몇 번 입을 닫았다 열었다 하더니, 결심한 듯 말했다.

"…안 묻나 해서."

"뭘?"

"…내 과거."

사유의 그 말에 나는 천천히 숨을 들이마시고, 내쉬었다.

그것은 지금까지 줄곧 의식적으로 하지 않으려고 했던 질문이었다.

"…들어 주면 좋겠어?"

내가 천천히 그렇게 묻자 사유는 마른침을 삼키고서 대답했다.

"들어 주면 좋겠어. 내… 지금까지의 일."

온몸에 긴장이 흐르고, 이어서 그것이 천천히 풀리는 듯한 감각에 사로잡혔다.

비로소 사유가 먼저 말을 꺼내 주었다. 그것이… 정말 기뻤다.

"알았어, 들을게. …들려줘."

될 수 있으면 자연스럽게 응수하고 싶었는데 어느새 목소리가 조금 떨리고 있다.

목소리의 떨림을 들키지는 않았을지 걱정되어 내렸던 시선을 들어 사유를 보았는데 사유는 내게 장난스러운 시선을 보내며 씩 웃었다. 똑똑히 들렸던 모양이다.

"미안…. 나도 좀 긴장되네."

숨겨도 소용없을 것 같아서 마음을 돌리고 솔직히 그렇게 말하자, 사유도 고개를 끄덕였다.

"괜찮아. 나도 긴장되거든."

사유는 그렇게 말하고 내 옆으로 옮겨 앉았다.

"그럼… 이야기할…."

이야기할게, 라고 말하려고 했을 사유를 가로막고 또 인터폰이 울렸다.

"이번에는 누구야…."

"또 오빠가?"

현관 쪽에 앉아 있던 사유가 일어서려고 했지만 나는 사유를 제지하고 현관으로 향했다.

그렇게 몇 번이나 불편한 손님이 올 것 같진 않지만, 역시 배달을 시킨 기억도 없는데 인터폰이 여러 번 울린다는 것은 나

혼자 있어도 수상한 상황이다.

잠금을 해제하고 천천히 문을 연다.

“안녕! 나 왔… 어라, 요시닷치잖아. 왜 집에 있어?”

“뭐야, 아사미구나….”

“뭐야, 라니. 오늘 일 쉬어?”

“쉬었어.”

“호~ 어째서?”

“그게….”

뒤쪽의 사유에게 시선을 주자 사유는 문틈으로 보이는 아사미에게 손을 흔들고 있었다.

내 멋대로 사정을 설명해도 되나 망설이다가, 나는 다시 아사미를 보았다.

“뭐, 좀 사정이 있어서 말이야…. 지금부터 사유와 중요한 이야기를 할 거거든, 미안하지만….”

눈을 깜빡이고 있는 아사미에게는 미안하지만 돌려보내려 하는데 안에서 사유가 걸어 나와 내 어깨를 쳤다.

“응?”

“괜찮아. 아사미도 들어오라고 하자.”

“어… 괜찮겠어?”

“응… 아사미는 들었으면 해.”

사유의 말에 아사미는 나와 사유를 번갈아 보고 고개를 갸웃한다.

“뭐야, 뭔데 그래?”

“…뭐, 자세한 건 들어오면 말할게.”

사유가 좋다고 한다면 내가 막을 이유는 없다.

상황은 파악할 수 없지만 분명 여느 때와 분위기가 다르다는 것만큼은 감지한 아사미는 쭈뼛쭈뼛 현관 안으로 들어와 신발을 벗었다.

거실로 돌아와서 사유와 나, 아사미는 절묘한 간격으로 다시 자리에 앉았다.

나는 일단 아사미에게 상황을 설명하는 편이 좋을 것 같아서 사유에게 확인을 받은 뒤 오늘 있었던 일을 아사미에게 이야기했다.

아사미는 처음에는 놀란 표정을 지었으나 중간부터는 줄곧 차분한 표정으로 내 이야기를 들었다.

“그렇게 된 거구나… 그럼, 즉.”

아사미는 말을 고르듯이 이리저리 시선을 돌리다 천천히 말했다.

“앞으로 일주일 뒤면 사유짱은 집으로 돌아가 버린다는 거네.”

“…응.”

사유가 조용히 수긍하는 것을 본 아사미는 숨을 크게 후우 들이마시고 침대에 나자빠졌다.

"그렇구나, 쓸쓸해지겠다!"

아사미는 밝은 투로 그렇게 말하고 양발을 번갈아 가며 동동 굴렀다.

이런 상황에서도 심각한 표정을 보이지 않고 도리어 밝게 행동하는 것은 정말로 아사미의 어른스러운 부분이라고 생각한다.

침대에서 벌떡 일어난 아사미는 사유를 빤히 바라보며 말했다.

"…하지만, 친구가 과거와 마주하겠다는데 응원하지 않으면 말이 안 되지."

아사미의 말에 사유는 순간 숨을 삼키더니 살짝 코맹맹이 소리로 "응." 하고 대답했다.

둘의 모습을 보면서 나는 이러니저러니 해도 아사미가 와 주어 잘된 것 같다고 생각했다.

별로 센스가 없는 나 혼자 사유의 이야기를 들었다면 제대로 맞장구도 치지 못해 점점 공기만 무거워졌을지도 모른다.

아사미를 흘끗 보니 참고서가 가득 든 숄더백을 들고 있었다. 사유와 함께 공부하러 이곳에 왔을 텐데, 우연이지만 이 타이밍에 와 주어 살았다. …결과적으로 공부를 할 수 없게 된 것은 미안하지만.

"…난 들을 준비, 됐어."

아사미가 넌지시 말하자 다시 실내 분위기가 팽팽해졌다.

"나도… 괜찮아."

나도 이어서 말했다.

사유는 조용히 숨을 들이마시고, 천천히 내쉬었다.

"…응. 그럼… 이야기할게. 예전 일."

스윽… 하고, 사유를 둘러싼 분위기가 변한 것을 느꼈다.

그녀의 표정은 평온했으나, 어쩐지 등에 묵직한 오라가 서려 있는 착각이 들었다.

"고등학교 2학년 때… 나는 외톨이였어."

사유는 천천히 이야기를 시작했다.

수염을 깎다.
그리고 여고생을
줍다.

3화 교실

고등학생이 된 내가 맨 처음 느낀 것은 '갑갑함'이었다.

교실 안에는 늘 율동하는 에너지가 가득했는데, 그 무한한 듯 하지만 유한한 에너지를 반 아이들끼리 나눠 쓰고 있었다. 에너지를 얼마나 많이 차지하는가를 놓고 전원이 필사적으로 싸우는 기분이었다.

옛날부터 애를 쓰는 게 싫었다.

어머니는 나를 좋아하지 않았기에 내가 아무리 애를 써서 어떤 결과를 남겨도 오빠만 칭찬하고 나는 전혀 칭찬하지 않았다. 가장 가까운 '가족'에게 칭찬받지 못하는 환경에서는 필요 이상으로 애쓸 이유를 발견할 수 없었다.

초등학교 때도 중학교 때도 그럭저럭 노력하여 그럭저럭 괜찮은 성적을 받았고, 고등학교도 그럭저럭 괜찮은 학교에 들어갔다.

그리하여 고등학생이 된 그 순간, 나 자신과 다른 급우들이 발하는 '빛'에 차이가 있음을 깨달았다.

나는 아무래도 좋았다. 반에서 자신의 입지가 어떻다든지, 누군가에게 예쁨을 받고 미움을 받는다든지, 그런 것으로 일희일비하는 즐거움을 잃은 채였다.

나와 그들은 뭔가가 결정적으로 다르다는 사실을 깨달은 뒤로는… 당연히 그 속에서 즐겁게 교류해 나갈 기운이 솟아날 리 없었다.

1학년 때 친구다운 친구는 없었으나, 그렇다고 해서 누군가에게 미움을 받는 것도 아닌 포지션에 머물러 있었다. 그런 현실에 불만은 없을뿐더러 다른 학생들의 반짝반짝한 인간관계에 끼는 것보다는 훨씬 낫다고 생각했다.

이듬해에도 그 이듬해에도 이 포지션을 사수한 채 편히 지내자고 다짐하며 일 년을 마친 나였으나 그게 그리 쉽지만은 않았다.

2학년 봄이 되어 나는 어떤 남자에게 고백을 받았다.

그 남자는 1학년 때부터 제대로 된 교류도 없이 멍하니 지내던 나조차 이름을 알고 있을 만큼 인기 있는 사람이었다. 농구부 소속으로, 1학년 때부터 선발 멤버에 들어 여자들 사이에서 화제였던 게 기억난다.

그렇게 인기 있는 남자에게 어째서인지 나는 고백을 받은 것이다.

"1학년 때부터 줄곧 좋아했어."

그 말에 나는 놀라움을 감출 수 없었다.

그토록 반에서 겉돌던 나에게 명백히 반의 중심에 있던 그가 관심을 갖고 있었다니. 그리고 그런 시선을 나는 눈치조차 못 채고 있었던 것이다.

당시의 나는 연애라는 것을 완전히 '귀찮은 일'로 여기는 구석이 있었다.

연애 관련 소문이란 순식간에 퍼지므로, 내가 뒷담화의 일원이 아니더라도 반 여자들이 큰 소리로 하는 이야기만 들으면 누가 누구와 사귀고 반대로 잘되지 않아 헤어졌는지 자초지종을 알 수 있었다.

단순히 뒷담화의 표적이 되는 것뿐이라면 별로 대수로운 일은 아니라고 생각한다.

그러나 여자들이란 무서워서 '누가 누구와 사귄다'라는 소문이 돌면 그에 더해 '그 둘은 어울리는가' 하는 수수께끼 같은 평가도 매기고 싶어 하는 법이다.

교내 서열의 상위에 있는 사람의 경우, 상위끼리 사귀면 주위에서 납득해 줄 뿐만 아니라 그 교제를 언짢게 보는 사람도 잘 나타나지 않는다.

나로서는 누가 누구와 사귀든 서로 좋아하면 그만 아닌가 싶지만 그리 간단한 문제가 아닌 모양이다.

그와 같은 여러 가지 사정을 고려한 당시의 내 결론은 이러했다.

"…미안해, 난 연애 같은 거 잘 몰라."

나는 무난한 말로 그 고백을 거절했다.

교실에서 겉도는 내가 명백히 교내 서열의 상위에 있는 그와 사귀면 아무리 생각해도 쓸데없는 반향을 낳을 것 같았으므로.

게다가 그 무렵의 나는 정말로 연애라는 감각을 잘 몰랐다.

그 두 가지 이유로 농구부 남자의 고백을 거절한 나는 그 후 자신의 어리석음을 뼈저리게 깨닫게 되었다.

"사이토斎藤 말이야, 유즈키悠月가 좋아하는 거 알고 있었지?"

사이토는 내게 고백했던 남자. 유즈키는 나와 같은 반 여학생이다.

사이토의 고백을 거절하고 며칠 후 나는 유즈키와, 그녀와 친한 두 여학생에게 인적이 없는 계단참으로 불려 나갔다.

유즈키는 늘 반의 중심에 있는, 반짝반짝한 세계에 사는 사람이었다. 외모가 빼어나고 운동도 잘해서 남자들에게도 굉장히 인기가 있었다. 그녀와도 1학년 때부터 같은 반이었기에 몇 달에 한 번은 '유즈키가 또 누구누구한테 고백을 받았대'라는 소문을 들었다.

그 유즈키가 사이토를 좋아한다고 한다.

알고 있었지? 라고 묻지만 솔직히 '몰랐어'라고 대답할 수밖에 없으므로 나는 그냥 그렇게 대답했다.

그런데 그 대답이 유즈키는 마음에 들지 않은 듯했다.

"흐음~ 몰랐구나."

"응…."

아무래도 유즈키는 내가 그 남자에게 고백을 받은 것이 마음에 들지 않은 듯해 나는 즉시 그 고백의 전말을 이야기하기로 했다.

"하지만 나, 거절했어."

내가 말하자 유즈키는 곧바로 나를 쏘아보며 내 말을 일축했다.

"그건 알아."

"그럼, 그럼 어째서…."

어째서 불려 나온 건지 의문이었다.

그녀는 사이토를 좋아하므로 내가 고백을 거절했으면 오히려 잘된 일 아닐까.

그런 식으로 생각한 내게 유즈키는 딱 잘라 말했다.

"네가 사이토의 고백을 거절한 게 건방지다는 말을 하고 있는 거야."

그 말을 듣고 내가 어안이 벙벙해져 있는 사이 수업 종이 울렸고, 세 사람은 하고 싶은 말을 할 만큼 하고 물러갔다.

그녀가 한 말의 의미를 이해하는 데 며칠이 필요했고, 마침내 이해했을 무렵 나는 반에서 완전히 고립되어 있었다.

원래부터 친구가 있었던 건 아니다.

그렇지만 명백히 '의도적으로 고립되었다'라고 느껴질 만큼 더는 내게 다가오는 사람이 없었다. 노골적인 형태로 나는 반 아이들에게 기피되었다.

어떤 소문이 났는지는 모른다. 다만, 확실히 '내가 나쁜 짓을 했다'라는 뉘앙스의 소문이 났으리라는 것은 내게 꽂히는 반 아이들의 시선을 보면 명백했다.

원래부터 친구가 없었던 내게 그 소문의 내용을 알려 주는 사람은 있을 리 만무했고.

나는 몇 달간 고독한 학교생활을 보냈다.

그렇다 해도.

솔직해 말해 그것이 괴로웠는가 하면 그렇지도 않았다.

전에는 스스로 선택해서 외톨이가 된 상황이었다면 이제는 스스로가 선택하지 않았는데도 그렇게 되었을 뿐이었다.

드라마나 만화에서와 달리 소지품을 감추거나 폭력을 휘두르는 유형의 따돌림으로 발전한 것도 아니다. 그저 나는 반이라는 무리 안에서 철저히 무시되었을 뿐.

상황이 변하기 시작한 당시에는 일이 귀찮게 되었다고 조금 생각하긴 했으나 일주일쯤 지나자 이제 아무래도 좋아졌다.

성적이 좋으면 어머니가 학교 일을 꼬치꼬치 캐묻지도 않는다.

특별히 곤란할 게 전혀 없다.

그렇게 생각하며 막연하게 매일을 보내던 내 앞에 그 아이가 나타났다.

수염을 깎다.
그리고 여고생을
줍다.

멜론빵
4 화
친구

"어쩜 그렇게 멋있니?"

여름방학도 가까워져 옥상에서 점심을 먹기에는 꽤 후텁지근하다고 생각했던 어느 날.

갑자기 옥상에 찾아와서 내게 말을 건 사람은 마사카 유코真坂結子라는 여자애였다.

긴 머리를 양 갈래로 묶고 촌스러운 검은 테 안경을 낀 그녀.

유코도 1학년 때부터 2년 연속으로 나와 같은 반이라는 것만큼은 기억나지만 오히려 그 외의 인상은 약했다. 반 안에서 유코의 존재감은 한없이 흐릿하여 누구누구와 친하게 지낸다는 이미지조차 나는 갖고 있지 않았다.

지금 생각하면 그 인상은 타당하다고 할까 어쩔 수 없는 것이었는데, 유코도 나처럼 반 안에 친구가 없었기 때문이다. 그러므로 누군가와 친한 이미지가 있을 리 없다.

"사유를 쭉 지켜봤어."

"…쭉?"

"그래, 1학년 때부터 쭉."

유코는 멋대로 내 옆에 앉아 말했다.

"다른 아이는 모두 누군가와 함께가 아니면 절대 안 된다고 생각하는 것처럼 항상 누군가와 친한 척하며 살고 있는데. 사유는 혼자서도 정말 아무렇지 않아 보였어."

눈을 반짝반짝 빛내며 그렇게 말하는 유코의 옆얼굴을 나는 멍하니 바라보고 있었다.

"반 아이들의 심술에 외톨이가 되고도 전혀 변함이 없잖아. 오히려 혼자 있는 편이 빛나 보이는 듯한 느낌이 들었어."

빠른 어조로 말하고서 유코는 안경 속의 동그란 눈으로 나를 빤히 쳐다보았다. 그리고 다시 한번 처음과 똑같은 물음을 던졌다.

"어쩜 그렇게… 멋있니?"

"아니… 그건 나도 잘."

나 스스로는 혼자 있는 게 멋있다는 식으로 생각한 적이 없고, 반 아이 하나가 나를 그런 눈으로 보고 있었다는 것도 지금까지 전혀 몰랐다.

게다가 학교에서 최소한의 의사소통 이외의 대화를 나누는 것도 무척 오랜만이라서 나는 당황하고 말았다.

입을 다물어 버린 내 교복 소매를 유코가 잡아당겼다.

"저기… 혹시 괜찮다면."

방금까지의 힘찬 어조와는 딴판인 조금 떨리는 목소리로 입을 뗀 유코.

떨구었던 시선을 든 나는 유코와 눈이 마주쳤다.

"나랑, 친구하지 않을래?"

그 목소리는 어딘가 절실하여 거의 사랑 고백에 가깝게 느껴질 정도였다. 나는 그 음성과 시선의 열량에 흠칫 놀라서 몇 초간 깊이 침묵한 후에.

"…좋아."

라고 간신히 대답했다.

*

학교생활 중에 처음으로 생긴 친구는 무척 상냥했다. 특히 내게는.

수업 중간중간 쉬는 시간마다 내 자리에 와서 이런저런 이야기를 늘어놓았다. 점심시간에는 매일 함께 옥상에서 점심을 먹었고 하교도 매일 함께 했다.

혼자여도 괜찮다고 생각했었다. 아니, 실제로 나는 괜찮았다. 혼자라는 사실에 괴로움을 느낀 적은 한 번도 없었다.

그렇지만 유코와 함께 지내며 나는 누군가와 대등한 입장에서 대화하는 것의 즐거움을 알았다.

"사유는 옆얼굴이 멋있다고 쭉 생각해 왔는데 말이야."

어느 날, 점심시간에 난데없이 유코가 했던 말을 나는 잊을 수 없을 것이다.

"웃는 얼굴이 가장 근사하구나."

돌이켜 보면 나는 그때까지 '웃는' 일이 별로 없었던 것 같다. 유년 시절, 이런저런 속박을 알지 못하여 해맑았던 때는 제외

하고. 그렇지만 자신이 처한 환경을 차츰 깨닫는 사이 내게서 웃음은 사라져 갔다.

아버지와는 만날 수 없다는 것.

어머니에게 사랑받고 있지 못하다는 것.

유일하게 나를 신경 써 주는 오빠는 아버지 회사에서 사장 자리를 물려받느라 바빠서 내게 별로 시간을 쓸 수 없다는 것.

내가 아무리 노력해도 어머니는 그걸 인정하지 않는다는 것.

누군가와 친해져도 놀 수 없다는 것.

괴로운 현실만이 쌓여서 내게서는 희로애락이 점점 희미해져 갔다.

유코와 지내는 나날 속에서 나는 조금씩 웃음을 되찾아 갔다. 나도 이렇게 자연스럽게 웃을 수 있다는 생각에 기쁘기도 했다.

고등학생이 되어서도 어머니가 내게 부과하는 규칙은 엄격해서, 학교가 끝난 뒤에 쓸데없이 나돌아 다니는 것은 금지되어 있었기에 학교에 있는 동안 말고는 유코와 놀 수 없었다.

그래도 학교에 가면 유코를 만날 수 있다.

그녀와 만날 수 있는 학교생활이 못 견디게 즐거웠다.

…그러나 그런 즐거운 생활도 오래 가지는 못했다.

*

맨 처음 느낀 위화감은 나와 유코를 향한 시선에서 비롯되었다.

전부터 피하거나 조소하는 분위기는 느꼈다. 그야 당연했다. 반에 적응한 모두의 눈에 나와 유코는 '친구 없는 사람끼리 어울려 논다'라는 식으로밖에 보이지 않을 것이다.

그런 분위기에는 익숙해진 줄 알았다.

그런데 어느 시기를 기점으로 그 눈길들이 어째 더 질척해지고 무거운 습기를 띠기 시작했다. 이것은 너무 감각적인 것이라 실제로 어떻게 변했는지는 말로 잘 표현할 수 없지만, 나는 확실히 그것을 느끼고 있었다.

다음으로 알아차린 것은 유코가 이상하다는 점이었다.

쉬는 시간에 내 자리에 오는 횟수가 점점 줄었다. 그리고 가끔 와서도 무언가를 겁내듯이 시선을 두리번거리면서 나와 이야기했다.

뭔가 이상하다고 생각했다.

어느 날 점심시간에 나는 큰맘 먹고 옥상에서 유코에게 물어보았다. 불길한 예감이 들었다.

"있잖아, 유코. 요즘 뭔가 이상하지 않아?"

내가 묻자 유코는 몹시 동요하며 시선을 이리저리 헤매다가 고개를 가로저었다.

"아냐, 아무 일 없었어."

"거짓말. 요즘 쉬는 시간에 이야기하러 오는 횟수도 줄었고 어쩐지 분위기도 이상해. 누군가에게 무슨 짓 당하고 있는 거 아냐?"

그 물음을 던졌을 즈음 내 안의 위화감은 확신으로 바뀌어 가고 있었다.

아마도 유코는 내가 보이지 않는 곳에서 누군가에게 괴롭힘을 당하고 있는 것이 아닐까. 그것은 틀림없이 본인도 주눅이 들 만한 일로, 나와 함께 있는 것 자체가 유코에게 부담이 되고 있는 게 아닐까.

"…아니, 그게, 정말로… 사유가 걱정할 만한 일은 없었어."

"저기."

유코의 뺨을 양손으로 감싸 나를 바라보게 했다. 나와 눈이 마주친 유코는 순간 겁에 질린 듯 시선을 피했으나 곧 체념한 듯 가만히 눈을 마주했다.

"진실을 가르쳐 줘. 제대로 들을 테니까."

내가 천천히 그렇게 말하자 유코는 삐끔삐끔 입을 열었다 닫았다 하더니 갑자기 눈동자에 눈물을 글썽였다.

유코가 왈칵 눈물을 쏟아서 나도 당황하고 말았다.

"앗, 유코, 왜 울어."

"미안… 울고 싶은 건 아냐."

울고 싶은 건 아닌데 눈물이 난다면 더 중증 아닐까 생각하면서 급히 스커트 주머니에서 손수건을 꺼내어 유코에게 건넸다.

눈물은 좀처럼 멎지 않았고 급기야 유코는 소리 내어 울기 시작했다.

진정할 때까지 유코의 등을 토닥여 주고 있으니 유코가 드문드문 이야기를 시작했다.

예상대로 유코는 유즈키 그룹에게 괴롭힘을 당하고 있었다.

그것도 내가 당했던 것보다 더 심하게.

화장실에 갈 때마다 똑똑히 들리게끔 험담을 한다든지, 나와 친하게 지내는 것을 가리켜 '시녀 노릇'이라고 한다든지, 최근에는 교과서나 학용품이 사라지기도 하는 모양이다.

무슨 초등학생이 괴롭히는 것처럼 치졸하여, 나는 일단 폭력이 없었다는 사실에 안심했다. 하지만 이런 괴롭힘이 유코의 마음의 평온을 얼마나 앗아 갔는지는 나로서는 상상해 보는 것밖에 할 수 없었다. 울음을 터뜨릴 정도다, 괴롭지 않을 리 없다.

"나는 사유처럼 강하지 않으니까 조금만 괴롭힘을 당해도 무척 주눅이 들고… 무서워서."

"그렇지 않아. 나는 그런 노골적인 괴롭힘을 당한 적이 없는걸."

유코는 조금 지나칠 정도로 나를 이상적으로 생각할 때가 종

종 있었다.

나는 유코의 생각만큼 강하지 않다. 유코는 나를 '고고한 존재'인 듯 말하지만, 딱히 혼자 있는 일에 긍지가 있었던 것도, '그렇게 하는 편이 훌륭하다고 믿어서 그렇게 한' 것도 아니다. 그저 혼자 있다는 것에 저항감이 없었을 뿐인데.

"어째서 유코가 그런 일을 당해야 하는 거지…."

그 점이 이상해서 견딜 수 없었다.

유즈키의 분노 대상은 나일 것이다. 그런데도 왜 내가 아니라 유코가 괴롭힘을 당하는가.

내가 의문을 말하자 유코는 살짝 자조적으로 입꼬리를 올리더니 천천히 한숨을 쉬었다. 그리고 조심스러운 눈동자로 나를 보았다.

"사유는 아마 정말로 모르는 것 같은데."

그렇게 말머리를 떼고 유코는 말했다.

"사유는 정말 얼굴이 예쁘고 자태가 고와."

"응?"

"사유는 절대 '나쁜 사람'으로는 보이지 않거든. 아무리 인상을 왜곡해도 '다가가기 힘든 사람'으로는 만들 수 있어도 '모두가 헐뜯어야 할 악인'으로 만들 수는 없어."

"잠깐, 무슨 소리야?"

유코는 땅에 시선을 떨군 채 어딘지 평소보다 유창하게 말을 이었다.

“그에 비하면 나는 수수하고 얼굴도 별로라서 ‘음침한 캐릭터’라는 편리한 단어로 간단히 헐뜯을 수 있는 존재야. 그런 아이가 늘 사유에게 붙어 있으니 시녀라고… 그런데 그 말은 틀리지 않아.”

“그렇지 않아!!”

반쯤 절규하듯 내가 유코의 말을 가로막자 유코는 놀라서 눈을 부릅떴다. 나도 내 자신이 큰 소리를 낸 것 자체에 놀라 버렸다. 하지만 그런 것보다는 일단 유코에게 해야 할 말이 있다고 생각했다.

“유코가 그런 말을 듣거나 그런 일을 당해야 할 이유 따위는 없어. 납득하면 안 돼….”

말을 쥐어짜는 도중 시야가 번져 가는 것을 느꼈다.

나는 분했다.

“유코는… 내 첫 번째 친구인걸….”

친구가 나 때문에 괴롭힘을 당하고 있다는 것. 지금까지 자신은 그 사실을 모른 채 태평하게 지내고 있었다는 것. 유코가 다수파의 불합리한 논리에 굴복하려고 한다는 것.

모든 것이 분했다.

난생처음으로 분해서 눈물이 났다. 콧물이 흐를 것 같아 급히 주머니를 뒤졌는데, 그러고 보니 내 손수건은 유코가 갖고 있다.

눈물 콧물로 엉망이 된 얼굴을 유코에게 보이고 싶지 않아서 고개를 숙이자 눈앞에 깔끔하게 접힌 손수건이 슥 내밀어졌다. 유코의 손수건이었다.

"이거 써."

"…응."

나는 유코의 손수건을 빌려 얼굴을 닦고, 서로가 상대에게 자신의 손수건을 쓰게 한 상황이 갑자기 우스워져서 쿡 웃고 말았다.

그것을 보고 유코도 웃었다.

"역시 말이야."

유코는 차분해진 톤으로 말했다.

"사유는 웃는 게 더 귀여워."

"…그건 유코도 마찬가지야."

"…응, 고마워, 사유."

둘이서 서로의 머리를 쓰다듬으며 우리는 겨우 웃을 수 있었다.

"뭔가 곤란한 일이 있으면 전부 알려 줘. 나는 절대 유코를 배신하지 않을 거니까… 함께 싸우자."

"…응!"

누가 질 줄 알고.

나도 협력해서 어떻게든 유코의 상황을 바꿔 주고 싶다. 만약에 상황이 계속 변하지 않는다면 기필코 유코와 둘이서 마지막까지 도망치자.

그렇게 결의했다.

…하지만 그 결의야말로 내 실수였는지도 모른다고 지금에 와서는 생각한다.

아니, 무엇이 옳은 것이었는지는 지금의 나도 모른다.

그렇지만 나는 그때 확실히 '실수하고' 말았다.

그것만큼은 확실했다.

5화 옥상

어느 날 점심시간, 교실에서 옥상으로 향하던 도중 유코가 “화장실에 다녀올 테니 먼저 옥상에 가 있어.”라고 말했다.

나는 알았다고 한 뒤 먼저 옥상에 가서 기다렸으나, 20분쯤 기다려도 유코가 옥상에 나타나지 않았으므로 역시 걱정이 되었다. 그저 속이 안 좋은 것일 수도 있지만 바로 조금 전까지 그런 낌새가 없었음을 생각하면 또 뭔가 골치 아픈 일에 휘말린 건 아닐까 상상하게 된다.

나쁜 예감에 사로잡힌 나는 유코와 헤어진 장소 근처에 있는 화장실로 향했다. 유코가 걸어간 방향으로 비추어 보건대 가장 가까운 화장실은 그곳밖에 없었다.

화장실에 가까이 가니 안에서 몇 사람의 목소리가 들려왔다. 불길한 예감이 더욱 강해졌다.

힘껏 화장실 문을 열자 세면대 앞에서 한 여학생과 몇 명의 여학생 그룹이 대치하고 있었다.

그것은 예상대로의 조합으로 한 명인 쪽은 유코, 그리고 다른 쪽은 여느 때의 유즈키 그룹이었다.

세차게 열린 문을 의식해 모두가 이쪽을 보았다.

유즈키는 조금 껄끄러운 듯 얼굴을 찡그렸고, 유코는 왠지 수상쩍은 태도로 내게서 눈을 돌렸다.

"…뭐 하고 있는 거야?"

생각보다 낮은 목소리가 나와서 나 스스로도 놀랐다.

내 목소리 톤에 위축된 건지 뭔지 몰라도 평소의 큰 목소리와 대조적으로 유즈키는 작은 목소리로 대답했다.

"그냥… 얘기를 좀 하고 있었을 뿐인데."

"셋이서 에워싸고? 20분도 넘게?"

"뭐 잘못됐어?"

내 일방적인 추궁이 자존심을 건드린 모양인지 그녀는 째릿 쏘아보듯 날카로운 눈초리를 던지면서 내 말을 받아쳤다. 그에 질세라 나도 유즈키의 눈을 마주 보았다.

"같이 점심을 먹을 예정이거든. 너무 오래 붙잡고 있으면 곤란해."

"…그러니?"

유즈키는 노골적으로 한숨을 한 번 쉬고서 유코 쪽을 보았다.

"그럼 가 봐."

"으, 으응…."

유코는 쭈뼛쭈뼛 유즈키와 내 앞을 지나서 화장실을 나갔다. 나도 뒤따라 나가려고 하는데 뒤에서 유즈키가 불렀다.

"저기."

"…뭐야?"

"…아무리 친구가 없어도 그렇지, 저렇게 음침하기 짝이 없는 캐릭터를 붙잡을 필요는 없잖아? 원한다면 우리 그룹에 끼워 줄 수도 있어."

유즈키의 그 말에 나는 순간적으로 체온이 올라가는 것을 느꼈다.

이 아이는 정말로 유코를 내가 '타협해서' 만든 친구라고 생각하는 듯했다. 당치도 않다.

"나는 친구 같은 거 없어도 돼. 그래도 유코는 나와 대등하게 이야기해 주었어. 내 친구를 나쁘게 말하지 마."

내가 단숨에 그렇게 말하자 유즈키는 순간 주춤한 듯 표정이 굳었지만 이내 다시 한숨을 쉬고 의뭉스러운 시선을 이쪽으로 건넸다.

"흐음… 그래?"

유즈키의 그 말에 이어서 어째서인지 뒤에 있던 추종자들도 쿡쿡 웃었다.

나는 불쾌한 기분으로 화장실을 나왔다.

화장실 앞에서 유코는 안절부절못하며 서 있었다.
“사유.”
“됐어, 옥상에 가자.”
무슨 말인가 하려는 유코를 제지하고 나는 그녀를 데리고 옥상으로 갔다.
이걸로 됐다.
유코가 괴롭힘을 당한다면 내가 지킬 수 있을 때는 지키는 수밖에 없다. 유즈키 그룹과는 단호히 싸워 나가야 할 거라고 생각했다.
“있잖아.”
옥상에서 유코가 작은 목소리로 말했다.
“사유… 유즈키 그룹에 가는 게 좋지 않을까?”
유코의 말에 나는 경악했다.
“왜 그런 소리를 해?”
“아니, 그게… 아까 화장실에서의 대화를 들었거든.”
“가지 않겠다고 했잖아. 나는 유코와 함께 있어서 즐거운 거야.”
“그건 나도 그런데, 그래도….”
유코는 눈을 내리깐 채 살짝 코맹맹이 소리가 되어 말했다.
“나 때문에 사유까지 괴롭힘을 당하게 되면… 나, 견딜 수 없어.”

나는 그 말에 뭐라고 대꾸하면 좋을지 몰라 말을 할 수 없었다.

원래는 나와 유즈키의 대립이 모든 것의 발단이었으리라. 그런데 어느 사이엔가 유코 안에서 순서가 뒤바뀌어 버렸다. 나와 얽히지만 않았더라면 유코는 지금쯤 이런 고초를 겪고 있지 않았을 것이다.

"그런 소리 마. 나는 괜찮아. 졸업할 때까지 둘이서 잘 해 나가면 되잖아."

나는 유코의 손을 잡고 필사적으로 설득했다.

유코는 눈가에 눈물을 글썽이면서 몇 번이나 고개를 끄덕였다.

"그래… 사유가 있으면 나는 괜찮아."

그 말을… 나는 믿고 있었다.

*

결과적으로 유코에 대한 괴롭힘은 더 심해졌다.

유즈키는 내가 정말로 싫어하는 게 무엇인지 정확히 이해하고 있었던 것 같다. 내가 유코를 감싸면 감쌀수록 내가 보지 못하는 곳에서 유코는 괴롭힘을 당했다.

학용품이 사라지고 교과서가 사라지고, 급기야는 생리용품까지 사라진 적도 있다.

한 번은 내가 담임 선생님에게 상담을 받으러 간 적도 있지만, 선생님은 "글쎄, 정말 그 아이들이 훔친 건지는 모르는 일이잖아."라고 일축했다. 분했다. 선생님은 우리 편이 되어 주지 않았다.

괴롭힘을 당하는 유코는 당연히 피폐해져 있었고 나도 점점 핼쑥해져 갔다. 그토록 즐겁게 느껴지던 학교생활은 갑자기 괴로운 것으로 변했다. 몇 번이나 학교를 쉬고 싶었지만 어머니가 허락할 리 없었고, 그보다 유코를 혼자 둘 수 없다는 마음이 더 강해서 매일 꿋꿋하게 등교했다.

언젠가 유즈키 그룹이 우리를 괴롭히는 데 질려 내버려 두게 되면 그것이 우리의 승리라고 믿었다.

…하지만 그 결과를 손에 쥐기 전에 우리는 '무너지고' 말았다.

*

웬일로 유코가 학교를 쉬었다.

그토록 괴롭힘을 당하고도 매일 꿋꿋이 학교에 오던 유코가 갑자기 쉰다기에 나는 놀라움과 동시에 살짝 안도했다.

선생님은 유코가 몸이 안 좋다고 했다. 몸과 함께 마음도 휴식을 취하길 바랐다.

멍하니 오전 수업을 받고 있으니 눈 깜짝할 사이에 점심시간이 다가왔다.

옥상으로 향하는 계단을 걸으면서, 그러고 보니 혼자 점심을 먹는 건 오랜만이라고 생각했다.

유코가 말을 걸어오기 전에는 쭉 혼자였고 그것이 당연했는데 지금은 유코가 없다는 사실에 위화감이 들 정도가 되었다.

유코는 내가 있으면 괜찮다, 라고 말했지만. 분명 그건 나도 마찬가지다.

유코가 있어 주면 다른 친구가 생기지 않아도, 남들이 내게 우호적이지 않은 시선을 던져도 괜찮다.

옥상에 나가니 드물게 먼저 온 사람이 있었다.

원래 옥상에 나와 유코 이외에 다른 사람이 있는 일 자체가 드물긴 했지만 보통 이상으로 나는 그 광경에서 강렬한 위화감을 느꼈다.

먼저 온 사람이 있는 건 상관없다.

그런데 그 서 있는 위치가 이상했다.

학생들이 몸을 내밀지 않도록 높이 설치한 난간 건너편에 어떤 사람이 서 있었다.

문이 열리는 소리가 들렸는지 그 사람이 돌아보았다.

내장을 꽉 틀어잡힌 느낌이었다.

“뭐 하고 있어, 유코?”

난간 밖에 서 있는 사람은 유코였다.

유코는 기분 나쁠 만큼 평온한 얼굴로 웃었다.

“사유.”

“저기, 위험해. 이쪽으로 와. 어째서… 오늘은 쉰다더니.”

“쭉 기다리고 있었어, 여기서.”

유코는 내 말이 들리지 않는 듯 평온한 어조로 말을 이었다.

“처음 사유를 본 순간 정말로 예쁜 아이라고 생각했어. 이렇게 귀여운 아이는 쉽게 친구를 만들어서 눈 깜짝할 사이에 반의 중심이 되지 않을까 생각했어. 그런데 실제로는 그렇게 되지 않았지. 사유는 고고하고 아름다워서 누구도 사유에게 다가갈 수 없었어.”

“저기, 무슨 소리를 하는 거야.”

“주위의 보잘것없는 여자아이들이 어떤 수를 써도 사유는 고고한 존재였어. 멋있었어. 그래서 나는… 다가가고 만 거야. 나 같은 게 사유의 친구가 되어 버렸어.”

유코는 무언가에 홀린 듯 즐겁게 이야기했다. 그뿐이라면 괜찮지만 그녀는 난간 밖에 있다. 발이 미끄러지면 무사할 수 있는 높이가 아니다.

“다가가 보니 사유는 보통의 귀여운 여자아이였어. 다정하고, 배려심 있고… 웃는 얼굴이 무척 근사한 여자아이였어.”

거기까지 말하고 유코는 슥 내 쪽을 보았다. 그녀의 싸늘한 시선에 나는 등골이 오싹해지는 듯했다.

"그걸 내가 망친 거야."

"잠깐만, 그런 거 아냐."

"맞아, 나는 사유를 망쳤어, 고고하고 아름다웠던 사유를, 나 같은 음침한 아이와 노는 바보 같은 여자로 취급받게 만들었어, 실은 이토록 아름답고 근사한 사유를 그 아이들은 바보 취급하고 있는 거야!"

"그런 건 아무래도 상관없잖아, 나는 유코만 알아주면 돼."

"그렇지 않아!!"

유코가 절규했다.

나는 할 말을 잃고 말았다.

나는 유코를 이해할 수 없었다. 그녀가 지금 무슨 생각을 하는지, 어째서 이토록 화를 내는지 이해할 수가 없었다.

"사유는 나와 다르단 말이야…. 더 빛날 수 있어…. 그런데 내가… 가장 너를 동경하는 내가… 망쳐 버린 거야…."

유코는 갑자기 눈물을 흘리면서 그 자리에 웅크려 앉았다.

지금이다.

더 다가가서 난간 틈새로 손을 뻗어 그녀의 몸을 붙잡아야 한다. 조금이라도 균형이 무너지면 그녀의 목숨이 위험하다.

나는 유코가 웅크려 앉아 있는 사이 천천히 유코에게 다가가려고 했다.

그런데 유코는 금방 알아차린 듯 슥 일어서서, 눈물로 엉망이 된 얼굴로 나를 바라보았다.

"사유, 알고 있어? 요즘 사유는 또 전혀 웃지 않게 되었어. 나와 함께 있으면 나를 어떻게 지킬까 하는 것만 궁리하느라 어두운 얼굴을 하고 있었어."

"그야 당연하지, 친구 일인걸."

내가 대답하자 유코는 기뻐하는 건지 슬퍼하는 건지 읽을 수 없는 표정을 지으며 살짝 입꼬리를 올렸다.

"…고마워, 그런데 말이야…. 나는 그게 무엇보다 괴로웠어. 이제 무리야."

유코가 갑자기 무척 평온한 얼굴로 웃었다.

그 표정을 보고 나는 어째서인지 '절대 안 된다'라고 생각했다. 그 생각과 동시에 몸이 앞으로 튀어 나갔다.

유코가 말했다.

"이건 있잖아, 사유 탓이 아니야."

"유코!"

"사유는 쭉… 웃고 있어 줘."

유코는 그렇게 말하고 웃더니.

튕겨지듯 옥상에서 떨어졌다.

앞으로 나간 몸이 갈 곳을 잃어 나는 옥상에서 넘어지고 말았다.

온몸이 떨리고 있었다.

학교 중정中庭에서 비명이 터졌다.

"아아…."

고개를 들었으나 역시 유코는 옥상에 없었다.

"아아…악!"

목구멍에서 소리가 되지 않는 소리가 넘쳐흐르고 시야가 얼룩졌다.

기듯이 옥상 끝으로 가서 난간 밖으로 몸을 내밀고 아래를 보았다.

그곳에는.

*

창백해진 사유는 갑자기 입을 틀어막았다.

이런, 하고 생각한 순간 사유는 눈앞에서 토하고 있었다.

중간부터 사유에게 가까이 다가가 이야기를 듣고 있던 아사미의 스커트에 사유의 토사물이 후두둑 튄다.

"미, 미안…. 스커트…!"

이런 상황에서도 다른 사람의 옷이 더러워지는 것을 신경 쓰는 사유였으나, 아사미는 전혀 개의치 않았다.

"괜찮아, 사유…. 옷 같은 건 빨면 되지만, 사유는 지금 토하지 않으면 견딜 수가 없는 거잖아."

아사미의 그 말을 듣고 사유의 표정이 풀어졌다.

"고마…… 우욱."

사유는 미처 참을 수 없다는 듯이 다시 한번 카펫 위에 토했다.

"요시닷치, 닦을 것 좀 가져다 줄 수 있을까?"

"어, 가지고 올게."

아사미의 말에 나는 세면실로 향했다. 대청소할 때 쓰려고 샀지만 결국 대청소 자체를 게을리하여 무용지물이 되어 버린 걸레가 여러 장 있을 터였다.

걸레를 꺼내며 나도 한 손으로 위를 눌렀다.

예상보다 참기 힘든 이야기였다. 그 어떤 괴로운 이야기도 들을 각오가 되어 있다고 자신했는데, 전혀 각오가 충분하지 않았다고 후회했다.

"자, 이거 써."

아사미와 사유에게 걸레를 건네주어 각자의 옷을 닦게 하고 나는 카펫을 청소했다.

"미안, 요시다 씨…."

"괜찮다니까. 너는 일단 물이라도 마시고 마음을 가라앉혀. 힘들면 오늘은 여기까지 해도 되고."

"고마워…."

사유는 순순히 부엌으로 가서 물 한 잔을 마셨다.

한숨 돌리고 사유가 말한다.

"하지만 두 사람이 좋다면… 오늘 끝까지 말할래. 나도 각오를 다졌으니까."

그렇게 말하고 사유가 건넨 시선은 어딘지 굳건하여, 이야기를 말릴 이유는 없을 것 같았다.

"알았어."

나는 납득하고 사유와 아사미를 쳐다보며 말했다.

"일단 옷을 갈아입는 게 좋겠어."

사유도 아사미도 쓴웃음을 지으며 동의했다.

수염을 깎다.
그리고 여고생을
줍다.

6화 방랑

사유도 옷을 갈아입었고, 아사미는 어쩔 수 없이 내 트레이닝 복을 빌려 입었다.

"그런 옷이라서 미안하네. 일단 빨긴 했는데."

"아재 냄새 나."

"진짜?!"

"되게 당황하네, 웃겨."

아사미는 깔깔 웃고서 "당연히 농담이지."라고 덧붙였다.

여고생이 '아재 냄새 나'라고 투덜거리면 너무 리얼하게 들려서 흘려들을 수 없으므로 농담이라도 관두길 바란다.

"게다가 이거 사유짱이 빨았겠지. 그렇게 생각하니 엄청 좋은 냄새가 나는 것 같아… 대박…."

"후각이 이상한 거 아냐?"

내가 소리치자 아사미는 더 깔깔 웃었다.

사유를 흘끗 보니 사유 역시 원래대로 활기찬… 모습으로 돌아왔다고는 할 수 없지만 아사미를 따라 작게 웃고 있었다.

조금은 안정을 되찾은 것 같아 다행이다.

그런 이야기를 하고 토한 직후이다. 그녀는 '각오가 되어 있으니 이대로 이야기하겠다'고 했지만 그래도 일단 기분 전환 정도는 하고 넘어갔으면 했다.

이야기를 들은 것만으로도 이토록 위장이 쑤신다. 이야기를 하는 사유 본인은 이미 체험했던 괴로운 일을 다시 체험하고 있다고 해도 과언이 아니다. 실제로 그 타이밍에서 토하고 만 이유는 틀림없이 옛 친구의 사체를 떠올렸기 때문이리라.

생각하면 할수록 아직 10대인 아이가 경험하기에는 너무 무거운 일인 것 같다.

아사미도, 사유를 쳐다보진 않지만 명백히 사유의 낌새를 신경 쓰고 있는 것이 나에게까지 전해져 왔다. 나와 시답잖은 대화를 나누면서도 이따금 시야 끝에 사유를 포착하듯이 슬며시 시선을 이동한다.

옷을 갈아입고 몇 분 동안 정답게 대화하다가 불현듯 전원이 침묵했다.

몇 초간 정적이 흐른 후 사유가 입을 연다.

"그럼… 계속 이야기할까."

사유의 말에 아사미는 다정한 목소리로 물었다.

"이제 괜찮아?"

"응, 진정됐어."

"그렇구나."

사유가 아사미에게 미소로 화답하고 나를 보았다.

나도 다음 이야기를 들을 각오를 다졌다.

"네가 괜찮다면 나도 괜찮아."

내가 말하자 사유는 고개를 끄덕이고 한 번 천천히 숨을 들이쉬고 내쉬었다.

그리고 사유는 다시 이야기를 시작한다.

*

유코가 스스로 목숨을 끊고 나는 슬픔과 실의의 구렁텅이에 빠졌다.

둘이서 마지막까지 도망칠 생각이었는데 유코가 최악의 형태로 먼저 퇴장해 버렸다.

내 딴에는 유코를 지키고 있다고 생각했는데 그 괴로움의 본질을 전혀 눈치 못 채고 있었던 것이다. 그게 분하고, 그리고 슬펐다.

며칠이 되었든 몇 달이 되었든 슬픔에 잠겨 빠져나오지 못할 거라 생각될 정도로 나는 힘들었지만, 현실은 내게 그 감정들을 처리할 시간을 주지 않았다.

유코가 뛰어내린 바로 그 순간 같은 장소에 있었던 나는 제일 먼저 수사 대상이 되었다.

학생 지도 선생님과 교장 선생님, 그리고 경찰로부터도 여러 번 추궁을 당했다.

어찌 되었든 나는 실제로 일어난 일을 그대로 이야기할 수밖에 없었으나, 친구가 죽은 장면을 몇 번씩 떠올려야 하는 것도, 생판 남으로부터 유코를 죽인 게 아니냐는 의심을 받는 것도 너무 괴로웠다.

정말 좋아했던 친구인데도 그녀의 얼굴을 떠올리는 것만으로도 위가 아프고 밤에는 좀처럼 잠을 이룰 수 없었다.

유코가 자살하고 며칠이 지나자 이번에는 우리 집에 매스컴이 들이닥쳤다.

내가 집을 나설 때나 집에 돌아올 때. 타이밍을 정확하게 노린 듯이 여러 명의 기자와 비디오카메라를 든 어른이 서 있었다. 어쩐지 내가 학교에 가 있는 동안에도 여러 번 집 인터폰이 울리는 모양이었다.

어머니는 넌더리를 냈다.

가뜩이나 집안에 짐이었던 내가 더 큰 골칫거리를 달고 왔으니까.

유코가 죽은 그날, 울면서 자초지종을 설명했을 때 어머니는 한숨을 쉬고 이렇게 말했다.

"하긴, 아무리 너라고 해도 반 아이를 죽이지는 않겠지."

깜짝 놀라서 나는 조금 전까지 멎지 않던 눈물과 오열이 갑자기 멎는 것을 느꼈다.

"…응, 절대 안 그래."

나는 작게 고개를 끄덕이고 그렇게 대답했다.

하나뿐인 친구였는걸. 그런 말은 삼켰다.

평소에는 바쁘던 오빠도 그 무렵만큼은 매일 본가에 와 주었다.

히스테리 증세를 보이는 어머니를 달래고 틈틈이 내 상태를 살피러 왔다.

나는 몇 번이나, 몇 번이나 오빠 품에서 울었다.

몇 주 동안, 텔레비전을 틀면 유코의 이름이 등장하는 뉴스가 몇 번이나 흘러나왔다. 텔레비전을 틀 수 없게 되었다.

인터폰도 두렵고 등하굣길에 매스컴이 몰려드는 것도 무서워서 나는 학교에 가지 않게 되었다.

항상 체면을 신경 쓰느라 내가 감기에 걸리든 무엇을 하든 학교에는 꼭 보냈던 어머니였지만 그때만큼은 학교에 가고 싶지 않다고 해도 딱히 나무라지 않았다.

낮에는 타인과 어머니의 기분을 살피느라 떨고, 밤에는 머릿속에 들러붙은 '유코와의 기억'에 떨었다.

이렇게 나를 비롯한 오기와라 가의 세 사람은 점점 피폐해져 갔다.

그리고 터지기 직전의 댐처럼 참고 견디던 우리 가족의 관계는, 어느 날 마침내 붕괴했다.

아침 일찍 눈이 떠져서 거실에 가 보니 어머니가 흐느껴 울고 있었다.

"무슨 일이야…?"

무슨 일이 있었나 싶어 묻자 탁자에 엎드려 있던 어머니가 고개를 들어 나를 날카롭게 쏘아보았다.

"전부 네 탓이야…!"

히스테릭해진 어머니가 자주 하던 말이다.

나는 자세히 듣지 못했지만, 어머니는 나를 낳는 바람에 아버지와 이혼하게 된 모양이다. 그리고 나는 그 '자세히 듣지 못한 사정' 때문에 어렸을 때부터 쭉 어머니에게 사랑받지 못했다.

아버지와 이혼하고 어머니는 주기적으로 정서 불안을 일으키게 되었다. 그리고 그럴 때 나를 보면 보통 이렇게 말했다.

"잇사는 그이의 회사를 물려받기 위해 훌륭하게 애쓰는데, 너는 뭘 하든지 간에 골칫거리만 떠안고 오는구나!"

"미안해."

거듭 사과하면 어머니는 일단 만족하고 잠이 들었다. 히스테리를 일으키는 데도 체력이 소비되는 것이다.

"어째서 남의 자살로 우리가 이토록 시달려야 하는 거야….
네가 친구놀이 같은 걸 하니까 그렇잖아! 이렇다 할 감정도 없는 주제에!"

"…미안해."

감정이 없는 게 아니다. 그저 어머니 앞에서는 가급적 드러내려고 하지 않았을 뿐.

내가 참으면 그만이니까.

이번에도 참고 견디자고 생각했다. 그녀의 성이 찰 때까지 계속 욕을 먹으면 끝날 테니까.

그런데.

화들짝 놀란 기색으로 갑자기 어머니가 눈을 부릅뜨고 나를 보았다.

평소와는 다른 그 모습에 내가 살짝 고개를 갸웃하자 어머니가 말했다.

"혹시… 정말로 네가 죽인 건 아니겠지."

그 말에 내 인내의 한계는 간단히 찾아왔다.

정신을 차려 보니 나는 어머니에게 달려들어 그 뺨을 손바닥으로 때린 뒤였다. 난생처음으로 휘두른 폭력이었다.

"그럴 리 없잖아!! 웃기지 마!!"

난생처음으로 분노에 몸을 맡긴 채 고함치고 있었다.

욕을 먹는 것은 이제 익숙해져 있었다.

그러나 유코를 죽였다고 의심받는 것은 나와 유코의 우정을 뿌리부터 부정하는 것과 같아 참을 수 없었다.

내가 얼마나 유코를 좋아했는지 알지도 못하면서.

"어머니는 몰라!! 처음으로 생긴 친한 친구가 자신 때문에 따돌림을 당하고, 그리고···."

억눌렀던 감정이 날뛰고 있었다.

내 표정을 본 어머니는 그저 넋이 나간 얼굴을 하고 있었다.

굵은 눈물을 뚝뚝 흘리며 나는 어머니의 멱살을 잡고 마구 흔들었다.

"나 때문에 죽어 버린 듯한 기분을··· 어머니는 절대 몰라!!"

"너···."

"그렇게 눈에 거슬리면 사라져 줄게, 나도 계속 매정한 소리를 듣는 건 이제 지긋지긋해!!"

그렇게 외치고 나는 내 방으로 달려갔다.

교복을 입고, 최소한의 생필품을 가방에 담아 지갑을 쥐고.

방을 나서려 한 순간, 방문이 열리고 오빠가 얼굴을 내밀었다.

"웬 소란이야··· 어, 사유, 교복이네? 학교에 갈 마음이 든 거야?"

"아니. 나갈래."

"나간다니? 어디 가? 언제 돌아오는데."

"어디든! 이제 돌아오지 않아!!"

"어이!"

오빠를 밀치고 현관으로 달려 말 그대로 집을 뛰쳐나왔다.

오빠도 곧 현관에서 나와 전력 질주로 나를 쫓아왔다. 아무래도 성인 남성의 다리 속도를 이길 수 있을 리 없어 나는 금세 오빠에게 붙잡히고 말았다.

"놔 줘!"

"바보야, 흥분하지 마! 일단 진정해."

"그게!!"

또 눈물이 쏟아졌다.

"어머니가… 실은 내가 죽인 거 아니냐고… 하잖아…!"

내가 신음하듯 울며 그렇게 말하자 오빠는 할 말을 잃고서 내 등을 쓰다듬어 주었다.

"그런 말을… 했구나."

오빠는 가만히 나를 끌어안고 평소보다 작은 목소리로 말했다.

"확실히 지금은 어머니와 조금 거리를 두는 게 좋을지도 몰라. 체면을 차리는 것보다 사유와 어머니의 정신을 다잡는 게 더 중요해."

오빠는 그렇게 말하고 내 손을 잡아끌었다.
"역까지 같이 가자."
"아… 응."
가출을 반대할 줄 알았던 나는 조금 맥이 빠진 채 대답했다.
역에 도착할 때까지 우리는 말이 없었다.
하지만 옆에 오빠가 있어 주어 조금은 든든했다.
가까운 역에 도착하자 오빠는 "잠깐 기다려." 하고 ATM으로 걸어갔다.
그리고 금세 돌아오는가 싶더니 내게 조금 묵직한 봉투를 건넸다.
"돈 없이 나가면 금방 돌아오게 될 거야."
"앗, 그래도…."
"30만 엔이 들어 있어. 낭비하지 않으면 보름은 밖에서 지낼 수 있을 거야."
"아냐! 이러면 내가 미안한데!"
내 말을 듣고 오빠는 쓴웃음을 지었다.
"돈도 없이 가출하는 게 더 민폐야. 잘 들어. 제대로 된 호텔에 묵을 것, 그리고 뭔가 신변에 위험을 느끼면 반드시 내게 연락할 것. 그 두 가지를 약속해 주면 어머니에게는 내가 잘 말해 둘게."
나는 잠시 손안의 봉투와 눈싸움을 하다가 오빠를 부둥켜안았다.
"…고마워."
"…지금까지 애 많이 썼어. 조금 쉬어."
오빠는 내 머리를 쓰다듬고는 어깨를 탁 밀었다.
"다녀올게."
"다녀와. 위험하다고 생각하면 바로 연락하기다."
"알았다니까."
오빠가 훨씬 부모 같다고 생각했다.
부모란 원래 이렇듯 자식을 걱정하는 걸까… 라고 생각하다가 금세 관뒀다.
그런 경위로 나는 난생처음 장기간 가출을 했다.

*

집을 뛰쳐나와 나는 진정한 의미에서 '외톨이'가 되었다.
호텔 방에서는 내가 무엇을 하든 아무도 보지 않고 누구도 혼내지 않는다.
갑자기 자유를 손에 넣은 내가 맨 처음 느낀 것은 '허무감'이었다.
"나란 사람은 뭘까…."
몇 번을 중얼거렸는지 모른다.

어머니에게는 환영받지 못하고 태어났다.

오빠는 나를 소중히 여겨 주었지만 그 다정함에는 어느 정도 '연민'이 내포되어 있음을 나는 느꼈다.

친구를 사귈 수 없었고, 간신히 사귄 친구는 나를 두고 떠나 버렸다.

생각해 보면 나는 줄곧 '누구에게나 아무것도 아닌' 인간이었던 것 같다.

물리적으로 외톨이가 됨으로써 내 고독감은 더 커졌다.

오빠에게서 30만 엔이나 빌리면서까지 나는 무엇을 하고 있는 건지 여러 번 생각했다.

모처럼 어머니에게서 완전히 도망쳤는데도 기분은 전혀 나아지지 않았다.

뭔가 나쁜 짓을 해 보고 싶었지만 술이나 담배 같은 것에 손을 댈 용기는 없었기에 호텔의 내 방에서 알몸으로 자위행위를 하는 것이 일과가 되었다. 행위를 마칠 때마다 비참한 기분이 드는데도 왠지 관둘 수 없었다.

그럭저럭 외박을 이어 나가는 동안 순식간에 가진 돈은 줄어들어 갔고 결국 몇 만 엔밖에 남지 않게 되었다.

오빠는 내게 '안전한 장소에 묵어'라고 했지만, 인터넷 카페라면 몇 만 엔으로 일주일은 버틸 수 있을 것 같아서 나는 가진 돈이 바닥나기 직전까지 인터넷 카페에 죽치고 있었다.

오빠는 의외로 돈이 줄어드는 속도를 정확히 계산하고 있었던 듯 인터넷 카페에 사흘 정도 머물렀을 즈음 내 휴대전화가 여러 번 울렸다.

[지금 어디에 있어?]

"호텔이야."

[어느 호텔? 매일 호텔에 묵었으면 지금쯤 벌써 돈을 다 썼을 텐데.]

그때 뭐라고 얼버무렸는지는 이제 기억나지 않는다.

하지만 대충 둘러댄 거짓말은 며칠 후 들통나서 자꾸자꾸 오빠에게서 전화가 왔다.

어느 사이엔가 나는 스스로도 놀라울 만큼 '자포자기' 심정이 되어 있었다.

어머니가 있는 그 집에는 역시 돌아가고 싶지 않았다. 돌아가서 어머니와 화해할 전망이 전혀 보이지 않았다.

내 가출을 도운 오빠에게는 은혜를 입었고 그런 오빠와의 약속을 어기자니 마음이 아팠지만, 그래도 나를 내버려 두었으면 했다.

휴대전화 배터리가 다되어 나는 그대로 어느 편의점 쓰레기통에 휴대전화를 버렸다.

돈은 바닥나 버렸다.

무언가를 깊이 생각할 기력도 바닥나 있었다.

어떻게 하면 좋을지 몰라 밤거리를 이리저리 헤매고 있으니 양복 차림의 남성이 내게 말을 걸었다.

"여고생이 이런 시간에 어쩐 일이야?"

그 남성은 조금 취한 듯 얼굴이 불콰했다. 그러고 보니 그날은 금요일이었던 게 기억난다.

나는 그때 스스로도 놀랄 만큼 쉽게 미소를 지었다.

"가출했어요. 돌아갈 곳이 없어서요."

"…흐음."

양복 차림의 남성은 나를 물끄러미 보고는 잠시 고민했다.

그리고 말했다.

"일단 이런 곳은 위험하니까 오늘은 우리 집에서 잘래?"

나는 온몸에 긴장이 흐르는 것을 느꼈다.

이것이 분명 오빠가 말한 '위험하다고 생각되면'에 부합하는 상황이라고 생각했다.

하지만 그때의 나는 정말 모든 일에 '자포자기'가 되어 있었다.

게다가 잘 하면 당장 잘 곳을 얻을 기회가 될지도 몰랐다.

"…폐가 되지 않을까요?"

어느새 나는 그렇게 말하고 있었다.

수염을 깎다.
그리고 여고생을
줍다.

7화 발자취

"…그것을 시작으로 나는 쭉 집에 돌아가지 않았어."

사유는 눈물을 글썽이며 말을 잇는다.

나와 아사미는 고개를 숙인 채 그 이야기를 듣고 있었다.

"처음에는 정말 선의로 재워 주는 건지도 모른다고도 생각했지만, 그런 일은 없었어. 며칠 후에는 어김없이 요구해 와서… 절대로 집에 돌아가고 싶지 않았던 나는 좋다고 말해 버렸어."

사유는 그렇게 말하고 자조적으로 웃었다.

"바보 같지, 처음으로 했던 사람의 이름도 기억하지 못하는 길."

"사유짱…."

아사미가 사유의 손을 꼭 잡았다. 목소리가 떨리고 있다.

"그다음은 요시다 씨에게 이미 말한 대로야. 한 번 했더니 몇 번을 하든 마찬가지라고 생각했어. 몸을 바치면 잘 곳이 생기니까 몇 번이나 그런 식으로 이곳저곳을 전전했어. 그런 식으로 가출 생활을 질질 끌다가… 요시다 씨와 만났어.”

사유의 시선이 나를 향했고, 그 타이밍에 사유의 뺨 위로 눈물이 흘렀다.

그것을 보자 나는 또다시 가슴이 꽉 옥죄는 기분에 사로잡혔다.

“이로써 털어놓아야 할 내 과거는 전부 털어놓았어. 홋카이도를 떠나서 요시다 씨를 만나기까지의 경위… 전부 이야기했어.”

그렇게 말한 사유는 아까보다 조금은 후련한 표정을 하고 있는 것처럼 보였다.

그것만이 위안이라고 생각했다.

“…그렇구나.”

나는 천천히 숨을 내쉬며 대답하고.

“…이야기해 줘서 고마워.”

라고 말했다.

사유도 고개를 몇 번 끄덕이고는.

“들어 줘서 고마워.”

라고 말했다.

“사유짱.”

아사미가 슬그머니 입을 열어 나와 사유의 시선이 그녀에게 모인다.

아사미는 사유의 눈을 가만히 바라본 후 말했다.

"역시 지금까지 애써 왔구나."

아사미의 말에 사유의 눈동자가 흔들리는 것을 알 수 있었다. 이어서 그 눈가에 또 서서히 눈물이 맺혔다.

"응."

사유가 대답했다.

"대단하다."

아사미도 대답하고, 오른팔로 사유의 얼굴을 품에 안고 왼팔로는 사유의 등을 쓸었다.

아사미의 품에 얼굴을 묻은 채 사유는 다시 한번 고개를 끄덕였다.

"…응. 애썼어."

사유는 그렇게 말하더니 아사미의 등에 손을 두르고 그 상태로 코를 훌쩍이기 시작했고 어느새 목 놓아 울고 있었다.

나도 덩달아 눈물이 날 것 같았으나 참았다.

몇 분 동안 사유는 계속 울었고, 그대로 아사미의 품속에서 잠들어 버렸다.

"…역시, 이야기하는 것만으로도 지치는 내용이었으니까."

아사미는 말하면서 슬며시 자신의 품에서 사유를 떼어 그대로 카펫 위에 눕혔다.

"침대가 더 좋을지도 모르지만… 뭐, 들어 올리면 깰지도 모르잖아."

"그러게…. 일단 그곳에 눕혀 두자."

평소 사유가 쓰던 담요를 살짝 사유의 몸에 덮어 주고 나는 다시 카펫 위에 앉았다.

천천히 한숨을 쉰다.

사고가 흩어져 있다. 사유의 과거 이야기, 그리고 그것을 털어놓던 표정. 그것들이 머릿속에서 소용돌이치다가 사라지고, 소용돌이치다가 사라지기를 반복한다.

"…담배 피우고 와도 될까?"

내가 그렇게 말하자 아사미는 잠시 멍한 표정을 지었으나, 이내 씨익 입꼬리를 올렸다.

"좋으실 대로. 아니다, 나도 갈래, 베란다."

"아냐…. 담배 냄새 배."

"됐네요, 잠깐 정도는."

아사미는 천연덕스럽게 말하고 나와 함께 베란다로 나왔다.

담배를 한 개비 꺼내어 지포 라이터로 불을 붙인다. 연기를 빨아들이고 내뱉는다.

그 과정을 되풀이하자 묘하게 마음이 차분해졌다.

"차분해졌어?"

옆의 아사미가 곁눈질로 내게 시선을 보낸다.

"그러는 너는 어떤데?"

되물으니 아사미는 쓴웃음을 지었다.

"나도 좀 동요했어."

아사미는 그렇게 말하고 베란다 담에 등을 기댄 채 시선을 아래로 떨구었다.

"뭔가 있구나 싶긴 했지. 하지만 설마 그렇게까지 무거운 이야기가 나올 줄은 몰랐어, 솔직히."

"…나도 마찬가지야."

나는 또 한 번 연기를 빨아들였다가 내뱉고 나서 말을 잇는다.

"친구가 생겼는데 그 친구가 죽고, 가장 가까운 존재여야 할 부모는 편이 되어 주지 않는다… 그런 상황은 어른이라도 견디기 힘들지."

"하물며 고등학교 2학년…."

아사미가 중얼거리듯이 그렇게 덧붙였다.

"…정말 잘 도망쳐 온 것 같아. 과거가 어떻든 간에."

아사미는 그렇게 말하고 갑자기 내 등을 때렸다.

"필사적으로 도망쳐 왔기 때문에 요시닷치 같은 사람과 만날 수 있었잖아."

"나 같은 사람이라는 게 뭔데."

내가 얼굴을 찌푸리자 아사미는 빙긋이 웃고 괜히 내 옆구리를 팔꿈치로 찔렀다.

"여고생을 옆에 두고도 맛있게 먹지 않을 사람이라는 의미."

"관둬, 역겨워…."

"칭찬한 건데."

아사미는 우스운 듯 코웃음을 치며 갑자기 정색을 했다.

"그나저나 요시닷치는 어떡할 거야?"

"어떡할 거냐니?"

되물으니 아사미는 어이없는 표정을 지었다.

"아니, 사유짱 말이야. 이대로 순순히 집에 돌려보낼 거야?"

"뭐, 데리러 왔으니까 그럴 수밖에 없잖아. 생판 남인 내가 참견할 일이 아냐."

솔직히 사유의 이야기를 듣고 나니 사유를 본가로 돌려보내는 것이 정말로 그녀에게 좋은 일인지는 심히 의문이다.

그렇지만 역시 다른 집 사정이라고 말해 버리면 그만이고, 보호자에 가까운 입장인 '오빠'가 나타난 이상 이제 내가 할 수 있는 일은 없어 보였다.

"생판 남…이라."

아사미가 입을 삐죽이며 중얼거리기에 나는 재떨이에 재를 떨며 그녀를 보았다.

"뭐야."

"아니."

아사미는 씁쓸하게 웃고 나를 곁눈질했다. 시선이 교차한다.

"이만큼 휘말려 놓고 이제 와서 '생판 남'이라는 것도 이상하지 않나? 라고 생각했을 뿐이야."

"그건… 뭐, 나도 그런 생각이 들지 않는 건 아니지만… 역시 이런 건 가족 문제잖아."

"그 가족이 사유짱 편이 되어 준다면 그래도 좋겠지만 말이야."

아사미가 하고자 하는 말은 충분히 알아들었다.

아사미는 앞으로도 내가 어떤 식으로든 사유를 서포트해 주기를 기대하는 것이리라.

그러나 어른 입장에서 생각하면 역시 이 이상 내가 나서는 것도 너무 주제넘은 느낌이다. 어차피 사유는 언젠가 집으로 돌아가야 하는 것이다.

무리를 해서라도 그 각오를 다져야 하는 때가 왔다. 단지 그뿐인 일 아닌가.

"요시닷치는 어떻게 하고 싶은데?"

아사미가 불쑥 그렇게 묻기에 나는 할 말을 잃었다.

"…아니, 그러니까 내 얘기 안 들었어? 어떻게도 할 수 없을 거라니까."

"듣긴 했는데, 내가 묻는 건 그게 아니야."

아사미가 내 말을 날카롭게 가로막고 말했다.

"'해야 한다'나 '하면 안 된다'가 아니라."

아사미의 시선이 똑바로 나를 향한다.

"요시닷치는 어떻게 하고 싶은지를 묻고 있는 거야."

나는 거기서 또 말문이 막혔다.

나는 어떻게 하고 싶은가. 그게 질문이라면 답은 명백하지만, 그게 옳은 일인지 나로서는 알 수 없었다.

"또 그런 얼굴 한다."

갑자기 아사미의 손이 뻗어 와서 내 미간을 집게손가락으로 쿡 찔렀다.

"요시닷치는 말이야, 일일이 너무 어렵게 생각하는 거 아냐?"

"…안 그런데."

"전에 말이야, '옳지 않은 일은 하고 싶지 않아'라고 했었잖아."

"…그랬지."

"그럼 요시닷치는 지금 상황에서 '옳은 일'이 뭐라고 생각해?"

아사미의 질문은 내게 있어 하나같이 '아픈 부분'을 찌르는 것이었다. 그리고 아마 그녀 자신도 그 사실을 자각하며 질문을 던지고 있으리라.

"나는."

아사미와의 대화에 집중하는 사이 담뱃불이 성큼 타들어 가 있었다. 재로 된 막대처럼 변해 버린 담배를 재떨이에 비벼 끄면서 무언가 말하려고 입을 열었으나, 아무런 말도 나오지 않아서 도로 닫았다.

"나는…."

불현듯 머릿속에 사유의 모습이 떠올랐다.

세탁기를 돌리는 사유. 요리를 하는 사유. 집안일을 마치고 무료하게 있는 사유….

그 모두가 평화롭고 '자연스러운' 모습으로 보였다.

그런 그녀의 가슴속에는 방금 전 들은 어두컴컴한 과거가 잠들어 있고, 그럼에도 그녀는 남들 앞에서 미소 짓고 있는데….

그 미소는 정말 예뻤다.

"나는 사유가 자연스럽게 웃고 있을 수 있으면… 좋겠어."

어느 사이엔가 그런 말이 나와 있었다.

그렇다. 생각해 보면 사유를 집에 들였을 때부터 쭉 그런 생각만 하지 않았던가.

사유의 미소에 나는 확실히 매력을 느끼고 있었다.

아이가 아이답게 웃는 것이 그녀에게 가장 좋은 일이라고 믿어 의심치 않았다.

"실은 그보다… 가족 안에서 즐겁게 산다든지… 학교에 다니면서 평범한 생활을 한다든지… 그런 게 선결 과제라고 생각해. 하지만…."

아사미는 내 말을 말없이 듣고 있다.

"하지만… 나는 그런 것보다 녀석이 자연스럽게 웃고 있으면 좋겠어. 내가 없는 장소에서도 우리 집에 있었을 때처럼… 언제나 그렇게 웃는 얼굴로 있어 주면 좋겠어."

나는 어째서인지 가슴이 옥죄는 기분을 느끼면서 그렇게 말했다.

"그게… 내 바람이야."

그리고 전부 다 말한 순간 가슴속에 있던 '답답함'이 단숨에 내려가는 기분이 들었다.

아사미는 몇 초간 가만히 나를 바라보더니 훗, 하며 웃었다.

"그럼 그렇게 되게끔 도와주면 되잖아."

아사미는 그렇게 말하고 안에서 자고 있는 사유에게 시선을 주었다.

"이미 사유짱과 요시닷치는 전혀 '남'이 아니잖아. 늘 요시닷치는 사유짱에게 무엇이 가장 좋은지를 생각하는 것 같은데 말이야."

아사미는 거기서 말을 끊고 다시 내 쪽으로 시선을 돌렸다.

"슬슬 요시닷치가 사유짱을 어떻게 하고 싶은지도 생각하는 게 좋지 않을까?"

"내가, 어떻게 하고 싶은지…."

내가 복창하듯 말하자 아사미는 고개를 끄덕이고 말을 잇는다.

"어느 정도 거리가 가까워지면 말이야, '서로가 어떻게 하고 싶은지 아는' 것이 올바른 커뮤니케이션의 형태가 아닐까?"

"하긴…."

나는 맞장구를 치며 거의 무의식에 가까운 형태로 또 한 개비 담배를 꺼내어 불을 붙였다. 그러고는 그런 자신의 행동을 곧바로 자각했다.

"아, 미안. 또 한 대 불을 붙여 버렸네."

"뭐, 됐어. 아까는 거의 피우지도 못하고 꺼 버렸잖아."

아사미는 천연덕스럽게 대꾸하고 또다시 베란다 담에 턱 기댔다.

그 모습을 곁눈질하며 나는 무심코 실소했다.

"뭐야."

아사미가 불만스러운 시선을 보내 나는 고개를 가로저었다.

"아니, 뭐랄까… 아사미는 고등학생이라는 느낌이 안 들어서."

"어? 뭔 소리야."

"나쁜 의미는 아냐. 뭐라고 할까… 있는 그대로 말하자면… 어른스러워."

나는 그 말만 하고 또 담배를 물었다. 연기를 마시고 뱉는다.

아사미와 이야기하고 있으면 언제나 내가 깨닫지 못한 사물의 본질을 배우는 기분이 든다. 아사미에게서는 확실히 늘 젊음의 오라가 뿜어져 나오지만 그와는 또 별개로 어딘가 어른스러운 인상도 항상 동시에 느껴졌다.

몇 번인가 연기를 마시고 뱉으면서 그런 생각을 하다가 옆의 아사미에게서 반응이 없음을 문득 깨달았다.

시선을 주니 아사미는 헐렁헐렁한 트레이닝복 소매로 자신의 입을 가린 채 부자연스럽게 아래로 시선을 떨구고 있었다.

"뭐야 너, 왜 그래?"

"시끄러워, 아무것도 아냐."

"아얏?!"

아사미는 퉁명스럽게 대꾸하고 갑자기 나를 걷어찼다.

"놀리는 거 아니라고 했잖아."

"그런 문제 아니거든!"

"네 덕분에 나도 좀 후련해졌어… 앗! 차지 마! 왜 이래!"

"시끄러, 바보야!"

퍽퍽 내 정강이를 걷어차는 아사미를, 담배를 쥐고 있지 않은 왼손만으로 어떻게든 제지한다.

난동을 부리던 아사미는 갑자기 슥 움직임을 멈추고 나를 몇 번 쳐다보더니 나직하게 말했다.

"요시닷치는 사유짱만 보고 있으면 돼…."

"뭐? 무슨 소리야."

"말 그대로의 의미야! 나도 도울 수 있는 거 있으면 뭐든 도울 테니까 곤란한 일 있으면 바로 연락 줘."

"어어…."

아사미는 그 말만 하고 한발 먼저 거실로 이어지는 문에 손을 걸쳤다.

"오늘은 갈래. 옷은 빨아서 다음에 돌려줄게."

"그래, 멀리 안 나가도 괜찮겠어?"

"됐어, 그보다 사유짱을 보고 있어 줘."

"알았어."

아사미는 완전히 여느 때의 태도로 돌아와 씩 웃었다.

"뭐, 지금까지도 어떻게든 됐으니 앞으로도 어떻게든 될 거야."

"…그러면 좋겠다."

"그럼 간다. 또 봐."

아사미가 거실로 돌아가 곧장 부리나케 짐을 챙겨 집을 나서는 모습을 지켜보고.

뒤이어 손안의 담배를 보니 역시 별로 피우지도 않았는데 거의 필터 근처까지 타들어 가 있었다.

"하아…."

재떨이에 담배를 비벼 끄고 나는 한숨을 쉰다.

세 번째 담배를 꺼내려다가 관둔다.

"…내가 어떻게 하고 싶은지라."

중얼거리고 주먹을 쥐었다.

사유가 어떻게 하고 싶은지.

내가 어떻게 하고 싶은지.

그 모두가… 분명 중요하다.

남은 일주일 동안 나는 어떻게 해야 할 것인지 온 힘을 다해 생각할 필요가 있어 보였다.

8화 배트

"어라, 그럼 사유는 집에 돌아가 버리는 건가요?"

"그것 참 갑작스럽네…."

회사 점심시간, 지금까지의 일을 알고 있는 하시모토와 미시마에게 대략적인 상황만 설명하고 나니 두 사람은 생각보다 놀란 표정을 지었다.

"아니 뭐, 이런 일은 대체로 갑자기 일어나는 법인가…."

하시모토는 그렇게 말하고 진지한 표정을 지었다.

"오히려 이제부터 건전한 상태로 돌아간다면 사유에게나 요시나에세나 잘된 일인시도 몰라."

하시모토는 거기까지 말하고 나를 흘끗 곁눈질했다.

"…라는 얼굴이 아니네, 그건."

"아니… 뭐."

나는 내 미간에 주름이 잡혀 있음을 알아차리고 집게손가락과 가운뎃손가락으로 그 주름을 좌우로 쭉 폈다.

물론 사유의 가정환경이 정상이라면 하시모토의 말도 납득할 수 있다. 아무래도 지금 상태가 '건전하다'고는 말하기 힘들다.

그렇지만 사유에게 듣기로 사유의 가정은 그녀에게 있어 결코 좋은 환경 같지 않다.

"역시 사유가 돌아가 버린다고 하니 쓸쓸해졌어?"

"아니, 그건 아닌데."

하시모토가 토를 달지도 않고 진지한 표정으로 그런 걸 물었기에 나는 고개를 가로저었다.

"단지… 뭐, 이렇게 장기간 가출해 있는 시점에서 짐작할 수 있는 것이긴 하지만, 부모가 좀…."

"그렇군."

평소 눈치가 빠른 하시모토는 내 애매한 설명도 명쾌히 이해하고 돈가스 덮밥을 먹던 손을 멈추었다.

"그런데 말이야, 그런 것까지 요시다가 신경 쓸 필요가 있을까. 까놓고 말해서 남의 집 사정이잖아?"

"그건… 그렇지. 나도 그렇게 생각해."

내가 동의하자 하시모토는 내 눈을 빤히 쳐다보며 말했다. 전에 없이 심각한 표정이었다.

"슬슬 때가 된 거라고 생각해. 선의만으로 생판 남을 돕는 데도 한계가 있어."

하시모토의 말에 나는 완전히 침묵했다. 그에게 뭐라 받아치고 싶은 건 아니었다. 하지만 그의 말을 완전히 납득한 것도 아니다. 가슴속에 불이 붙을 듯한 감정이 맺혀 있는 것 같은 이상한 감각.

"그러면 요시다 선배는 어떻게 하고 싶은데요?"

갑자기 미시마가 천연덕스럽게 물었다.

어제 아사미가 한 질문과 똑같다.

"하시모토 씨의 말도 이해는 가요, 무척. 하지만 결국, 사유와 만난 사람도 사유를 지금까지 보살핀 사람도 전부 요시다 선배잖아요."

미시마는 말하면서 자신이 주문한 연어구이 정식의 연어에서 척척 잔가시를 발라낸다.

마시마는 조금 큼직한 가시 하나를 척 빼고서 나를 보았다.

"제가 보기에 요시다 선배는 사유에게 이미 '남'이 아니라 '당사자' 같은데요. 진즉에 휘말려 있어요."

이것도 어제 아사미가 한 말과 똑같았다.

이어서 미시마는 다시 한번 고개를 갸웃했다.

"그래서, 선배는 어떻게 하고 싶은데요?"

"나는…."

나는 말문이 막혀 버렸다.

궁극적으로 말해서 내가 사유에게 해 주고 싶은 것은, 어제 아사미에게 말했듯이 사유의 웃는 얼굴을 지켜 주는 것이라고 생각한다.

그러나 지금 미시마가 묻는 것은 그런 막연한 내용이 아니라는 걸 안다. 일주일 후 홋카이도로 돌아가게 된 사유에게 나는 무엇을 해 주어야 하는가.

그 점에 있어서 현재로서는 아직 제대로 된 안을 하나도 떠올리지 못했다.

말이 없는 나를 물끄러미 바라보며 미시마는 연어를 천천히 씹고, 그에 박차를 가하듯이 흰밥을 먹었다. 모두 다 씹은 뒤 천천히 삼키고.

"앞으로 일주일 정도 있는 셈이네요."

"어?"

"사유가 이곳에 있을 수 있는 시간."

"아아… 그러네."

내 대답을 듣고 미시마는 무언가 생각하듯 혼자 연달아 고개를 끄덕이고 다시 한번 나를 보았다.

"그럼 오늘 밤 사유를 빌려도 될까요?"

"뭐? 빌려?"

갑작스러운 미시마의 제안에 나는 얼빠진 소리를 내고 말았다.

"그래요, 요컨대 데리고 나가게 해 달라는 거예요. 사유와 데

이트하게 해 줘요."

"아니, 그야… 상관없는데, 그보다 내가 결정할 일이 아닌 것 같은데… 왜 갑자기 그런."

"여자끼리 쌓인 이야기가 많거든요."

미시마는 손을 팔랑팔랑 흔들고 내 질문을 따돌리듯 받아쳤다.

갑작스러운 이야기에 조금 위화감이 들지 않는 건 아니지만, 그러고 보니 전에도 장을 보러 갔을 사유가 미시마의 집에 있었던 적이 있으므로 둘 사이에는 내가 모르는 우정이 있을지도 모른다.

"뭐… 사유가 싫어하지 않는다면 나는 괜찮아."

"그럼 결정된 거예요. 퇴근하면 일단 집에 갔다가 그 후 요시다 선배 집으로 사유를 데리러 갈게요."

"너무 늦게까지 데리고 다니지 마."

"알고 있거든요."

미시마는 어딘지 신이 나서 그렇게 말하고 다시 연어 정식을 입안 가득 욱여넣어 씹기 시작했다.

천천히 씹고 삼키는 작업을 이어 나가는 미시마를 멍하니 바라보면서 생각했다.

그러고 보니 이 녀석, 입에 음식이 든 상태에서 말하는 버릇이 없어졌구나.

*

"좋았어! 오늘 첫 번째 공!"

유즈하 씨가 의기양양하게 배팅 박스에 들어가 배트를 꽉 쥐었다.

땅 하는 소리와 함께 벽에서 야구공이 날아온다. 초보인 나도 눈으로 좇을 수 있을 만한 스피드이긴 하지만 빠른 건 틀림없었다.

유즈하 씨가 힘껏 배트를 휘둘렀으나 안타깝게도 헛스윙.

"에고~"

유즈하 씨는 나를 돌아보고 혀를 내밀었다.

곧바로 또 하나 공이 날아와서 유즈하 씨가 다시 배트를 휘두른다. 이번에는 '딱' 하는 둔탁한 소리가 나면서 배트에 공이 맞았다. 그러나 공은 엉뚱한 방향으로 날아가 버렸다.

"오랜만이거든."

유즈하 씨는 중얼거리고 다시 배트를 움켜쥐면서 공이 날아오는 방향을 유심히 바라보았다.

나는 지금 유즈하 씨와 배팅 센터에 와 있다. 시각은 밤 9시.

요시다 씨가 집에 들어오자마자 '미시마가 너랑 둘이서 만나고 싶대'라고 말했을 때는 놀랐다. 무슨 용건이냐고 요시다 씨에게 묻자 요시다 씨도 모른다고 대답했다.

그렇지만 나는 유즈하 씨에게 여러 번 도움을 받았으므로 그녀에게 이유도 없이 끌려 나간다고 해서 기분이 나쁘지는 않았다. 오히려 조금 기쁠 정도다.

그 후 요시다 씨의 집으로 나를 데리러 온 유즈하 씨와 함께, 근처 역에서 조금만 걸어가면 있는 낡아 빠진 배팅 센터에 온 것이다.

어째서 그녀가 나를 배팅 센터에 데려왔는지는 몰라도 지금으로서는 딱히 이렇다 할 말도 없이 유즈하 씨는 즐겁게 배트를 휘두르고 있다.

이따금 배트에 공이 맞지만 이른바 '홈런' 같은 괜찮은 공은 아직 못 친 듯하다.

눈 깜짝할 사이에 모든 공이 다 나와 버려서 유즈하 씨는 쓴웃음을 지으며 박스 밖으로 나왔다.

"어라, 이렇게 못 쳤던가. 전에는 더 빵빵 날렸었는데."

"오랜만이라서 그런 거 아닐까요?"

"그런가."

유즈하 씨는 으음~ 하며 입을 삐죽인다. 그 모습은 사랑스러워서 연상의 언니와 있다기보다 내 또래의 여자아이와 노는 느낌이었다.

"자, 그럼 다음은 사유야."

"네?"

갑자기 유즈하 씨가 배트를 내밀어 나는 허둥대고 말았다.

"저도 하는 거예요?"

"하고 싶지 않아?"

"아뇨, 하고 싶지 않은 건 아니지만…."

"그럼 하자."

유즈하 씨가 내게 불쑥 배트를 건넸다. 받고 보니 생각보다 무거워서 놀랐다.

"잠깐 연습해 볼래?"

"연습… 이, 이렇게요?"

조금 전 유즈하 씨가 한 대로 배트를 휘두르니 역시 생각했던 것보다 배트가 무거워서 몸까지 돌아가는 느낌이었다.

"팔로 휘두르면 말이야, 어깨가 나가 버리거든. 허리 회전을 의식하면 좋아. 이렇게, 이렇게."

유즈하 씨가 내 뒤로 돌아가서는 나를 끌어안듯 감싸고 몸동작을 알려 준다. 그대로 움직이자 확실히 조금 전보다 중심이 흔들리지 않는 듯했다.

내가 몇 번의 연습을 마치자 유즈하 씨는 내게 박스 안으로 들어가라고 말한 뒤 박스 밖의 기계에 돈을 넣고 몇 가지를 조작했다.

그러자 박스 맞은편 벽에서 기계 움직이는 소리가 나기 시작했다. 아무래도 이제 곧 공이 날아올 모양이다.

"시작됐어~"

"네…!"

어쩐지 무척 긴장되었다.

첫 번째 공이 날아온다. 아까 유즈하 씨가 쳤던 공보다는 더 느려 보였으나 좀처럼 타이밍을 맞출 수 없어서 배트를 휘두르지도 못하고 공을 그냥 보내고 말았다.

"쭉쭉 쳐, 쭉쭉 쳐~ 스트라이크 같은 거 없으니까."

"네에."

얼빠진 목소리로 유즈하 씨의 훈수에 대답하는데 또 공이 날아온다.

이번에는 힘껏 휘둘러 보았으나 맞지 않았다.

"아깝다!"

다음 공, 그리고 또 다음 공.

공은 자꾸자꾸 날아오는데 배트가 공에 전혀 맞지 않았다.

갈수록 분해졌다.

이째서 나는 멘날 멘날 제대로 하지 못힐까.

하나, 또 하나, 내가 휘두른 배트에 맞지 않고 공은 지나쳐 간다.

"마지막 하나!"

유즈하 씨의 목소리에 번쩍 정신이 들었다.

마지막만큼은… 마지막만큼은 맞히고 싶다.

집중해서 공의 움직임을 잘 보고.

탕, 하는 소리와 함께 쏘아진 공이 내 기분 탓인지 조금 전보다 느려진 것 같았다.

이번에는 맞는다! 그렇게 생각하며 힘껏 배트를 휘둘렀다.

퍽! 하는 소리가 나고 내 뒤의 공받이에 공이 빨려 들어간다.

"…하아."

입에서 한숨이 새어 나왔다.

결국 헛스윙이었다.

익숙하지 않은 배팅에 실패한 정도로 왜 이렇게 풀이 죽는지 알 수 없지만, 나는 묘하게 힘이 빠져서 그대로 그 자리에 털썩 주저앉아 버렸다.

나도 모르는 사이에 시야가 엉망으로 일그러져 있었다. 눈물까지 나고 있다.

어느새 옆에 와 있던 유즈하 씨가 내 어깨에 손을 얹었다.

"…집으로 돌아가게 되었다면서?"

"…네."

"돌아가고 싶지 않구나?"

"……네."

유즈하 씨의 말투는 무척 다정해서 지금이라면 어떤 나약한 소리를 해도 용서받을 수 있을 것 같은 예감을 내게 안겼다.

"어깨 아프지 않아? 미안, 갑자기 이런 데 데려와서. 속이 후련해질 줄 알았는데… 반대가 되어 버렸네."

"아뇨, 뭘요…."

"자, 눈물 닦아."

유즈하 씨가 내게 손수건을 내민다. 나는 고개를 가로젓고 내 옷소매로 눈물을 닦았다.

유즈하 씨는 어이가 없다는 듯이 웃고 다정한 목소리로 말했다.

"벤치에 앉아 있어. 마실 것 좀 사 올게."

유즈하 씨는 나를 배팅 박스 밖으로 데리고 나와서는 근처에 있는 벤치를 가리켰다.

그리고 부드럽게 미소 지으며 말한다.

"따뜻한 음료를 마시면서 얘기 좀 하자."

그녀의 말이 가진 온도는 참으로 이상해서, 강요하는 느낌이 없는 한편으로 '거절할 이유도 없지?'라고 시원스레 요구하는 듯한 힘이 있었다.

나는 그 느낌이 좋아서 특별히 무언가를 생각하기도 전에 "네." 하며 고개를 끄덕였다.

배트를 휘두를 때의 그 속절없는 무력감은 이제 꽤 누그러져 있었다.

수염을 깎다.
그리고 여고생을
줍다.

9화 가족

유즈하 씨가 사 준 따뜻한 코코아를 홀짝홀짝 마시면서 나는 현재 상황을 천천히 이야기했다.

그녀는 처음 만났을 때와 마찬가지로 대충 흘려듣지도, 너무 심각한 표정으로 듣지도 않고 적당한 온도로 맞장구쳐 주었다.

나는 딱 한 가지, 유코에 관한 일만은 피한 채 과거의 일을 곁들여 가족 이야기를 했다. 아무리 자기 일처럼 들어 준다고 해도 그토록 무거운 이야기를 아무에게나 할 수는 없는 노릇이다. 게다가 이런 장소에서 또다시 토하면 큰일이다.

내가 어머니 이야기를 할 때마다 유즈하 씨는 뭐라 형언할 수 없는 표정으로 나를 보았다. 이윽고 내가 모든 이야기를 마치자 그녀는 내 오른손 위에 왼손을 포개어 꽉 잡았다.

"뭐랄까. 나, 가족은 말이야."

유즈하 씨가 배팅 센터의 천장을 올려다보며 말했다.

"'가족이니까'라는 이유만으로 무조건 사랑해 주는 존재라고 생각했어. 그게 보통이라고 생각했는데… 그렇지도 않네."

그녀의 소박한 감상에 나는 가슴에서 둔한 통증을 느꼈다.

일반적으로 '가족'이 그런 존재라는 건, 나도 왠지 모르게 알고 있었다. 하지만 그것을 실감한 적은 인생에서 한 번도 없다. 어머니는 나를 확연히 미워했고, 오빠는 그런 나를 가엾게 여겨 다정하게 대해 주었다.

무조건적인 사랑, 그것을 느낀 적이 있다면 그건 오히려….

"요시다 씨랑 저요, 혹시 부모와 자식처럼 보이거나 했을까요."

내가 불쑥 그렇게 중얼거리자 옆의 유즈하 씨가 눈을 동그랗게 떴다. 그리고 이내 웃음을 터뜨린다.

"아하하, 그럴듯하네!"

유즈하 씨는 우스운 듯 큰 소리로 웃더니 몇 번이나 되뇌었다.

"그렇구나, 가족이라… 그렇군, 그렇군…."

"왜, 왜요?"

"아니 그게, 전혀 그런 생각을 못 한 것 같아서."

유즈하 씨는 나를 보고 씩 웃었다.

"두 사람의 관계 말이야, 만난 지 얼마 안 되었지만 무척 가깝고, 그런가 하면 서로 깊은 부분은 잘 모르고, 그러면서도 서로를 원하고."

유즈하 씨는 천천히 말을 이었다. 그것은 어쩐지 자기 자신에

cocoa

게 들려주는 말처럼도 들렸다.

"하지만 서로 이성으로 원하는 것도 아니라서… 나는 어쩐지 잘 알 수 없는 관계라고 생각했어. 그런데, 그렇구나…. 느닷없이 만난 사람과 갑자기 가족이 되려고 하면 그렇게 되는 건지도 모르겠다."

유즈하 씨의 그 말에 나는 문득 깨달았다.

요시다 씨가 지금껏 만나 온 '다른 남자'와 뭐가 다른지 거듭 생각한 적이 있다. 요시다 씨에게서는 왠지 만난 직후부터 다른 사람과는 다른 묘한 안도감이 들었다. 그 안도감이 어디에서 오는 것인지 나는 줄곧 알 수 없었다.

그런데 유즈하 씨의 말을 들은 순간 갑자기 시야가 트인 것처럼 요시다 씨와 내가 쌓은 관계가 보인 듯했다.

"그렇구나… 요시다 씨는 나를 가족처럼 소중히 여겨 주어서… 그래서…."

집을 나온 후로 나는 늘 '여자'였다. '여고생'으로 있을 것이 요구되었고 그것을 연기했다. 아니… 아예 스스로가 그렇게 생각하고 그 틀에 갇혀 버렸다.

하지만 요시다 씨는 나를 '어린애'로밖에 보지 않았다. 그게 어쩐지 이상하면서도 어쩐지 안심이 되었고….

"그래서 그렇게… 따뜻했구나…."

저절로 눈가에 눈물이 핑 돌았다. 슬픈 게 아니다, 단지 갑자기 감정이 복받치는 듯했다.

나는 분명 자포자기 상태로 반년이나 헤맸지만… 마음속 어디에선가는 '무조건적인 사랑'을 바라고 있었다.

"요시다 씨는… 뭘까요…."

자꾸만 흘러내리는 눈물을 닦으며 코멘소리로 내가 말하자 유즈하 씨는 훗, 하고 웃었다.

"나도 모르겠어… 뭘까, 그 사람."

유즈하 씨는 자연스럽게 내 머리에 손을 얹어 마구 헝클어뜨린다.

"그렇지만… 만나서 다행이다, 정말."

유즈하 씨의 그 말에 나는 또 시야가 엉망으로 일그러지는 것을 느꼈다.

눈을 꼭 감고 말없이 동의한다.

요시다 씨와 만나서 다행이다.

정말로 그렇게 생각하고 있다.

그렇기 때문에… 무서웠다.

"요시다 선배와 떨어지는 거, 무서워?"

내 마음을 읽은 듯 유즈하 씨가 내게 그렇게 물었다.

나는 고개를 들고 끄덕였다. 새삼 이 사람에게 무언가를 지어 말해야겠다는 생각은 들지 않았다.

"무서워요… 굉장히."

"그렇겠지…. 친부모보다 더 부모처럼 굴던 사람과 떨어지는 거니까."

유즈하 씨는 동의를 표한 후 천천히 말했다.

"하지만… 선배와 사유는 가족이 아냐."

"…네."

"가족이 아니라서… 어려워."

중얼거리듯 유즈하 씨가 한 그 말은 내 가슴속에 슥 파고들었고, 그와 동시에 묵직하게 울렸다.

그렇다, 나는.

나는 이제 '집으로 돌아가는 것'과 '요시다 씨와 떨어지는 것'을 나누어 생각할 수 없다. 둘 다 정말로 무서운 일처럼 여겨졌다.

"…돌아가고 싶지 않아요."

나는 나도 모르게 또 한 번 그렇게 중얼거렸다.

그 말을 듣고 유즈하 씨는 다시 내 머리를 마구 헝클어뜨렸다.

"…응, 그렇겠지."

유즈하 씨는 다정한 목소리로 대답한다.

그 후 몇 분간 우리는 둘 다 말이 없었다. 나는 코를 훌쩍이며 눈물을 닦았다. 내가 그러는 동안 유즈하 씨는 줄곧 내 머리를 쓰다듬어 주었다.

"무언가를 결정할 때는 말이야."

유즈하 씨가 불쑥 입을 뗐다.

"꼭 유예를 바라게 되더라. 그런 생물인가 봐, 인간이란."

그녀의 말은 부드러운 인상과 함께 내 귀에 닿았다. 그리고 슬며시 내 마음속으로 침투해 온다.

"그런데 말이야, 의외로 정말 중요한 것을 결정할 때일수록 유예가 없거든. 이것도 아니다 저것도 아니다, 하며 망설이는 사이 타임 리밋이 다가오고 말아."

유즈하 씨는 그렇게 말하고 내 머리에 얹고 있던 손을 어깨로 옮겨 가볍게 탁 쳤다.

"나는 남이니까 이런 소리를 할 수 있는 거지만 말이야."

고개를 들었다가 유즈하 씨와 정면에서 눈이 마주쳤다. 그녀의 표정은 진지함 그 자체였다.

"이제는 도망치면 안 돼, 사유. 나는 지금이 매듭을 지을 때라고 생각해."

'남이니까'라고 선을 그은 이유를 알 수 없을 만큼 그녀의 말은 내게 살가운 것이었다.

"무서운 건 이해해. 나도 사유의 입장이었으면… 분명 무서웠을 거야. 하지만 말이야."

유즈하 씨가 내 손을 잡았다.

"사유는 이제 혼자가 아니잖아."

그녀의 말에 온몸이 떨리는 것을 느꼈다.

나는 혼자가 아니다.

그런 생각이 서서히 온몸에 뿌리를 내리듯 퍼져 나간다.

"요시다 선배가 옆에 있어."

그리고 이어진 그 말이 내 가슴을 더 따뜻하게 해 주었다.

그렇다. 지금 내게는 요시다 씨가 있다.

요시다 씨와 떨어지는 건 무섭다. 무섭지만, 그래도 그 용기를 주는 사람은 분명 그다. 그리고.

"…이러면 남에게 떠넘기는 것 같지만, 뭐… 나도, 응원은 하고 있어."

"알고 있어요, 알고 있어요… 아주 잘."

또다시 눈물이 날 것 같아서 얼른 얼굴에 힘을 주어 참는다. 확실히 이 이상 우는 것은 창피했다.

응원하지 않는 사람이 이토록 다정한 말을 해 줄 리 없다는 것쯤은 말하지 않아도 알고 있었다.

유즈하 씨는 오른손으로 코끝을 긁으며 말한다.

"…사유는 이미 눈치챘을 것 같아서 하는 말인데 말이야."

그녀는 지금까지보다 조금 말하기 힘든 기색으로 말을 이었다.

"나는, 저기… 요시다 선배를, 그… 남성으로서 좋아하거든."

"…알고 있어요."

"으, 뭐, 그… 그렇겠지. 그래서 처음 사유의 존재를 알았을 때는 솔직히 복잡했어…. 아니, 그보다, 으음~"

유즈하 씨는 머리를 긁적이며 얼굴을 살짝 붉힌 채 말한다.

"지금도… 복잡하다면 복잡해. 조금 전에는 두 사람을 '가족 같다'라고 했지만 말이야. 솔직히… 더 깊은 유대로 이어진 것처럼 보여. 내 눈에는. 그래서 그게… 으음~ 어렵지만."

유즈하 씨는 내 쪽에 시선을 주고 뭐라 형언할 수 없는 표정을 지었다.

"내 입장에서 사유는 얼른 돌아가 주는 편이 기쁜 존재일 거야, 아마도."

"…솔직히 말하시네요."

"헤헤… 미안. 근데 말이야, 그런 이유에서만… 하는 말은 아냐."

"알고 있어요."

내가 대답하자 유즈하 씨는 조금 쑥스러운 듯 웃고 말했다.

"미워할 수가 없어, 사유는. 솔직하고, 열심이고, 웃는 모습이 사랑스러워서."

그녀의 말에 나도 조금 얼굴의 온도가 올라간다.

"아마도 내가 사유에게 하는 말은 말이야, 궁극적으로는 사유를 위해 말하는 게 아니라고 생각해. 하지만…."

유즈하 씨는 거기서 말을 멈추고 후우, 하고 심호흡을 했다.

그리고 천천히 말했다.

"나도 이제 사유가 좋으니까. 그러니까 힘껏 노력해서… 지금보다 나아지길 바라. 네가 현재를 열심히 살면 좋겠어…."

"…네."

"괜찮아. 지금의 사유에게는 함께하는 사람이 있잖아."

"……네."

결국 눈물이 넘쳐흘렀다.

자신의 감정에서 도망치고 부모에게서 도망치고. 도망치기만 하는 인생을 살아왔지만.

도망쳐 오길 잘 했다고.

난생처음으로 자신의 인생을 긍정할 수 있었던 것 같았다.

"으으…."

"어어, 어어. 또 그렇게 눈물범벅이 되어 버렸네."

"그야…."

눈물이 멈추지 않아서 결국 나는 유즈하 씨의 손수건을 빌려야 했다.

*

"여어, 왔어?"

사유를 요시다 선배의 집까지 바래다주자 퉁퉁 부은 눈을 한 선배가 맞아 주었다.

"…혹시 자고 있었어요?"

"어어… 뭐, 조금."

대답을 듣지 않아도 선배는 명백히 자고 있던 모습이라 나는 살짝 웃고 말았다. 선배도 연일 사유와 관련하여 이런저런 일이 일어나서 피곤했겠지.

"멀뚱멀뚱 서 있지 말고 들어와."

요시다 선배가 사유에게 그렇게 말하는 것을 보며 조금 가슴이 아팠지만, 나는 그 나쁜 감정을 의도적으로 억눌렀다.

일전에 집에서 한심하게 펑펑 운 뒤로 나는 한 가지 결심을 했다.

그것은 '사유와 선배의 관계를 질투하지 말자'라는 것이다. 이는 타협이나 가식이 아니라 어디까지나 내 정신을 온전히 유지하기 위한 중요한 결정이라고 생각한다.

아까 사유에게 있는 그대로 말했다시피 나는 이러니저러니 해도 이미 사유에게 한껏 감정이입을 해 버렸다. 그녀는 정말 좋은 아이고, 아까 들은 이야기를 감안해서라도 앞으로 꼭 행복해지길 바란다.

그 마음과, 사유와 요시다 선배의 관계를 부러워하고 마는 마음은 머릿속에서 아무렇지 않게 동거하고 만다. 어느 한쪽을 억누르지 않으면 점점 혼자 괴로워질 뿐이라는 것은 잘 안다.

"들어가, 감기 걸리겠다. 따뜻하게 하고 자."

사유의 등을 떠밀며 집으로 들어가라고 재촉한다. 그리고 나는 둘의 모습을 가급적 보지 않도록 하며 가볍게 손을 들어 인사했다.

"그럼 전 갈게요. 내일 또… 아니, 다음 출근일에 봬요."

그러고 보니 오늘은 금요일이구나, 생각하면서 그렇게 말하자 요시다 선배는 왠지 조금 미적지근한 표정을 지었다. 그리고 내게 시선을 보낸다.

"잠깐 시간 있으면 들어왔다 가는 게 어때. 저기… 사유를 데리고 왔다 갔다 했으니까. 커피 정도라면 내줄게."

선배의 말에 나는 자신의 기분이 확연히 들뜨는 것을 느꼈다. 그렇지만 지금은 꾹 참고.

이대로 얼떨결에 선배 집에 들어가 봤자 더 거리가 가까운 두 사람을 봐야 할 뿐이다. 현명하게 처신하지 않으면 안 된다.

"아니에요, 사유도 선배도 피곤할 테니 오늘은 사양할게요."

"그래… 그럼 적어도 역까지는 바래다줄게. 별로 인적이 많은 길도 아니니까."

그것은 바라 마지않던 제안이었다.

나는 한 박자 쉬고 "그럼, 부탁해요."라고 대답했다.

선배는 사유에게 "문단속 단단히 해."라고 말한 뒤 실내복 위에 두툼한 외투를 한 장 걸치고 집을 나왔다. 완전히 외출복 차림인 나와 나란히 걸을 건데 실내복인 트레이닝복을 입은 상태로 나오다니 좀 너무한다 싶은 감도 있었지만, 그래도 나는 기뻤다.

"이제 슬슬 밤에는 쌀쌀하네요."

"그러게, 이제 눈 깜짝할 새에 겨울이 오겠어."

내 말에 선배는 자신의 어깨를 감싸 안았다.

겨울이 오고 한 해가 가면 사유는 18세가 되는 해를 맞는다. 그렇게 되면 고등학생은 몇 달 만에 졸업이다.

하지만 그녀는 고등학교 2학년 후반을 통째로 날려 먹었고, 고등학교 3학년인 와중에도 현재진행형으로 학교를 빠지고 있는 상황이다. 그 마당에 순조롭게 졸업할 수 있을지 어떨지 나로서는 알 수 없다.

"사유는 돌아가서 잘 할 수 있을까요."

내가 불쑥 입을 열자, 요시다 선배는 잠시 침묵했다.

나와 선배의 발소리가 밤길에 천천히 녹는다.

"평범하게 생활해 나갈 수 있도록… 응원하고 싶어."

침묵 끝에 요시다 선배는 그렇게 말했다.

"하지만 실제로 그렇게 적극적으로 응원할 수 있는 건 아냐. 내게도 내 생활이 있어."

"…그렇죠."

"녀석이 녀석 자신의 미래와 마주할 수 있을지 어떨지는… 녀석에게 달렸어."

요시다 선배는 언뜻 평소보다 드라이하게 말하는 것 같았다. 그러나 그 옆얼굴을 보니 정말 '내겐 역부족'이라는 감정을 드러내며 그런 말을 하고 있었기에 역시 이 사람답다고 생각했다.

누구나 그렇게 된다고 생각했다. 그러다가 금세… 아니, 누구나 그렇게 되는 건 아니라고 생각을 고쳤다.

유리할 때는 자기에게 맞게 해석하고, 사정이 불리해지면 '아냐, 남의 인생이니까'라면서 외면한다. 어른이란 그런 것이지.

그렇지만 요시다 선배는 달랐다. 사유를 거두었다는 것에 필요한 만큼의 책임을 착실히 느끼면서, 그 책임을 다하려고 한다. 그 모습은 정말 멋있어서 나는 또 기분이 복잡해졌다.

다만, 역시 이상하게도 둘 사이를 방해하고 싶다는 마음은 전혀 들지 않았다.

둘 사이에는 그만큼 명확한 유대가 있고, 그건 절대로 침범할 수 없는 것임을 잘 알기 때문인지도 모른다.

나는 솔직한 생각을 말했다.

"사유에게는… 꼭 선배가 필요해요."

내가 말하자 요시다 선배는 놀란 듯 나를 쳐다보았다.

"무슨 의미야?"

"말 그대로의 의미에요. 사유는 어른스럽지만 역시 어린애니까요. 지금은 그 작은 몸으로 용기를 쥐어짜기 위한 파워를 전부 요시다 선배에게 맡기고 있는 형태라고 생각해요."

"…하긴, 그런가."

아냐아냐, 그럴 리가, 하면서 고개를 가로저을 줄 알았는데 의외로 요시다 선배는 순순히 납득한 눈치였다.

"…내가 해 줄 수 있는 게 뭘까."

지금 그의 안에 있는 고민은 그것뿐인 듯했다.

함께 있어 주는 것만으로도 족하다고 생각하지만 아마 지금 그가 원하는 답은 그런 막연한 것이 아니리라.

나는 아주 가벼운 마음으로, 그리고 가벼운 말투로 말해 보았다.

"따라가 주면 되잖아요, 홋카이도."

"뭐?"

요시다 선배가 확연히 어리둥절해하자 나는 실소했다.

"그렇게 놀랄 일인가요? 돌아갈 용기가 없다고 하니, 요시다 선배가 따라가 주면 조금은 용기를 낼지도 몰라요."

"아니아니. 서쪽 가족 입장에서는 남인 내가 그렇게까지 하는 것도 이상하잖아. 게다가 내가 없는 동안 일은 어떡하고."

"이제 와서 '남'일 필요가 있나요. 이만큼 휘말려 들어 놓고… 일이라면 하시모토 씨나 엔도 씨나 코이케 씨가 협력하면 어떻게든 될 거예요, 아마, 일주일 정도라면… 게다가 믿음직한 후배도 있고 말이죠."

가슴을 펴고 말하자 요시다 선배는 무척 얼빠진 얼굴로 몇 초간 침묵한 뒤 웃음을 터뜨렸다.

"뭐가 믿음직한 후배냐, 나 참…."

선배는 그 말만 하고 내 제안에 따를지 말지는 언급하지 않았다.

하지만 의외로 괜찮을지도 모른다고 생각하는 눈치다. 그의 안에 전혀 없는 발상이었다면 말을 꺼낸 보람은 있었던 셈이다.

나도 사유가 꼭 행복해지길 바란다. 하지만 그것을 위해 내가 도울 수 있는 일은 적다.

게다가… 요시다 선배도 그의 안의 '사유'라는 존재를 바르게 인식하길 바랐다. 어린아이를 아끼듯 사랑하는 것인지, 아니면 실은 그렇지 않은 것인지.

자기 안에서의 인식이 애매한 채 사유와의 이별을 맞으면 틀림없이 그는 앞으로 몹시 괴로워하게 될 것이다.

나는 나 자신도 절대 후회하고 싶지 않고, 주변의 소중한 사람이 후회로 괴로워하는 모습을 보고 싶지도 않다.

지금은 요시다 선배에 대한 연애 감정보다는 두 사람의 결말이 어떤 형태로든 행복하기를 진심으로 바란다.

"선배… 힘내세요."

나도 모르게 그렇게 말해 버렸다.

요시다 선배는 조금 간격을 두고 “어.”라고 대답했다.

그리고 작은 목소리로.

“고맙다.”

라고 덧붙였다.

지금은 그 말만으로도 충분하다고 생각했다.

대화가 끊기자 괜히 쌀쌀함이 신경 쓰였다. 부르르 몸을 떨며 밤하늘을 올려다보고.

아직 가을에 접어들 무렵인데도 겨울이 가까워졌구나 하는, 그런 생각을 했다.

수염을 깎다.
그리고 여고생을
줍다.

10화 회상

토요일.

전날 미시마와 밤까지 나가 있었기 때문인지 평소에는 나보다 훨씬 일찍 일어나는 사유도 오늘만큼은 곤히 자고 있었다.

나보다 먼저 일어나 있지 않더라도 대개 내가 침대에서 몸을 일으키는 소리가 나면 사유도 잠에서 깬다… 라는 것이 휴일에 흔히 있는 일인데, 오늘은 내가 침대를 삐걱거려도 일어나지 않고 이불 속에 쌔근쌔근 잠들어 있다.

그 얼굴은 평온한 것이 악몽에 시달리는 기미도 없어 조금 안심했다.

시계를 보니 오전 10시가 지난 무렵이었다.

살며시 침대에서 내려와 부엌으로 향한다. 이제 막 일어났는데도 살짝 공복감이 있었다.

냉장고에 뭔가 들어 있었는지 확인하는데 갑자기 인터폰이 울려 어깨를 움찔했다.

황급히 사유를 보니 그녀는 그래도 깨지 않고 있었다.

안심하고 곧장 현관으로 가서 문을 열었다.

"네, 뭡니까… 아."

"신세 많이 지고 있습니다."

문 앞에 서 있는 사람은 잇사였다.

"무슨 일이시죠?"

"아니, 그 후로 사유가 어떻게 하고 있는지 걱정도 되고… 이번에는 요시다 씨에게 용건이."

"제게요?"

나는 일단 현관에서 나와 문을 닫았다.

"사유는 피곤한지 지금 깊이 잠들어 있으니 잠깐 밖에서."

내 말에 잇사도 납득했다. 그리고 나를 가만히 보더니 말한다.

"아침은 드셨습니까? 괜찮으시면 지금 식사라도 어떠신지요. 당신에게 해 두고 싶은 말이 조금 있습니다."

그 제안을 거절할 이유는 딱히 없었다.

"알겠습니다. 그럼 옷을 좀 갈아입고 올 테니 잠시 기다리시죠."

나는 서둘러 집 안으로 돌아가서 가급적 소리가 나지 않도록 외출복으로 갈아입었다. 그동안에도 사유는 몇 번인가 몸을 뒤

척였으나 눈을 뜨지 않았다.

수염을 깎을까 고민했지만, 면도기 소리를 내면 역시 사유가 깨 버릴지도 모른다는 생각에 관둔다.

지갑과 휴대전화만 주머니에 쑤셔 넣고 집을 나섰다.

*

"마음에 드는 것을 주문하십시오. 계산은 제가 할 테니."

"아, 네에…."

설마 차를 타고서 고급 프렌치 레스토랑에 데려올 줄은 몰랐기에 나는 무심코 턱수염을 만진다. 깎고 오면 좋았을 거라고 후회했다.

좀처럼 눈에 들어오지 않는 메뉴판에서 겨우 내 입맛에 맞을 만한 음식을 찾아 그것을 주문한다.

잠시 후 식전 음료가 나와서 그것을 홀짝홀짝 마시기 시작했을 무렵, 잇사는 넌지시 입을 열었다.

"우선 저번에 찾아뵈었을 때 몹시 실례되는 말을 해서 죄송했습니다."

갑자기 잇사가 고개를 숙여 나는 당황하고 말았다.

"아니아니, 고개를 드십시오. 괜찮습니다."

"아닙니다… 제 여동생을 흔쾌히 받아들여 주신 분에게 몹시 실례가 되는 말을."

"아뇨, 오히려 진심으로 걱정하고 있다는 것을 알고 기뻤는 걸요."

내가 말하자 잇사는 고개를 들어 나를 물끄러미 본다. 그리고 살짝 맥없는 미소를 짓는다. 웃는 모습이 조금 사유를 닮은 듯했다.

"정말 이상한 분이군요…. 보통 당신 나이대의 남성이 여고생을 주워 그렇게까지 부모처럼 하려 할까요."

"…오히려 몸을 노리고 여고생에게 접근하는 어른 쪽이 저는 믿기지 않는데요."

"동감입니다."

잇사는 몇 차례 고개를 끄덕이고 음료를 마셨다. 역시 어딘가 안심한 빛이 묻어난다.

"사유가 당신 같은 사람을 만난 건 다행이라고 생각합니다."

"아뇨, 뭘요."

"인사치레로 하는 말이 아닙니다."

입가에 미소가 어려 있지만 확연히 잇사의 표정이 흐려지는 것을 알 수 있었다.

"'그대로' 도피행을 계속했다가 요시다 씨 같은 사람을 만나지 못하여 점점 타인을 신뢰할 수 없게 되었다면…."

잇사는 거기서 말을 끊고 나를 가만히 쳐다보았다.

"녀석은 분명 돌이킬 수 없는 마음의 상처를 입고, 평생 그 짐을 짊어져야 했을지도 모릅니다."

저번에 만났을 때는 그에게 묻지 않았으나, 지금 하는 말만 들어도 그가 이미 사유의 지금까지의 여정을 자세하게 파악하고 있음은 쉽게 짐작할 수 있었다.

"사유는 정말 아슬아슬한 순간에 요시다 씨를 만날 수 있었던 겁니다."

"그렇게 말씀해 주시니 영광…이라고 해야 할지 뭐하고 해야 할지 모르겠지만…. 뭐, 저도 결국에는 그저 녀석의 현상 유지에 동참하는 격이 되었다고 할까요…. 오빠분이 오시지 않았더라면 녀석의 가출을 마냥 지속시켰을 겁니다."

내가 그렇게 말하자 잇사는 작게 한숨을 쉬더니 조금 웃고서 살짝 고개를 갸웃했다.

"저기… 아주 진부한 질문이 되어 버리겠지만."

잇사는 그렇게 운을 떼고 내게 물었다.

"어째서 그렇게까지… 사유에게 다정한 겁니까. 녀석이 귀여워서 욕정이 생겼다… 라는 이유 때문에 표면상 다정하게 대하는 거라면 납득은 갈 테지만."

즉, 사유와 사귀고 싶다거나 사유와 하고 싶다거나 하는 목적도 없는데 어째서 그녀를 다정하게 대하는 거냐고 묻는 것이리라.

"우연히 만난 가출 고등학생에게 어째서 그렇게까지."

잇사의 그 물음에 나는 깊이 숨을 들이마셨다.

그에 대한 명확한 해답을 나는 스스로도 알지 못한다.

애당초 어째서 그날 나는 사유를 집에 들여 버렸을까.

"그날은… 술에 취해 있었습니다."

나는 자신의 마음속을 정돈하듯 하나하나 말로 푼다.

"창피한 일이지만 실연을 당해서… 하하, 홧김에 술을 마시고 들어가던 길이었습니다."

내 말을 잇사는 진지한 표정으로 듣고 있다. 그런 얼굴로 들을 이야기는 아닌 것 같지만 분위기를 흐릴 수는 없었다.

"길바닥에 웅크려 앉아 있던 녀석에게 무슨 자격에선지 설교를 했더니 녀석이 말하더군요…. '하게 해 줄 테니까 재워 줘' 라고."

내가 그렇게 말하자 잇사는 숨을 삼켰다. 만약을 위해 분명히 해 둔다.

"물론 그건 거절했습니다."

내 말에 잇사는 고개를 몇 번 끄덕이고 안도한 듯 한숨을 내쉬었다.

"그렇지만 저는… 녀석을 재워 주었습니다."

그렇다. 나는 그날 어째서인지 녀석을 우리 집에 묵게 했다.

이토록 오래… 사유와 살게 될 줄 그때는 몰랐으리라.

"…모르겠단 말이죠. 왜 그랬을까."

하나하나 떠올린다.

술을 마셨기에 기억이 애매하지만 그래도 필사적으로 기억을 떠올린다.

어두운 밤길, 미묘한 조도로 빛나는 가로등. 그리고 그 밑에 웅크려 앉은 여고생.

조금 짧은 스커트, 훤히 보이는 까만 팬티.

'어이, 거기. 거기 고딩.'

말을 걸자 나를 바라보는 사유의 멍한 시선.

온도감이 희박한 그 표정.

숨을 삼켰다.

"…역시 쓰레기입니다, 저."

내가 갑자기 그렇게 말하자 잇사는 당황한 듯 고개를 갸웃한다.

"무슨 말씀입니까?"

잇사의 의문에 나는 씁쓸하게 웃으며 대답했다.

"그날의 일이 순서대로 떠올랐거든요."

실연을 당하고 술에 만취하여 사고회로가 엉망이 되었을 때 나는 사유를 발견했다.

"제 부름에 문득 고개를 든 사유의 얼굴… 떠올랐거든요."

내 말을 잇사는 말없이 듣고 있다.

그때는 여고생과 밤길에서 오래 대화하는 모습을 누가 보기라도 하면 괜한 소리를 들을 거라고 생각했던 것 같다.

하지만 그런 건 그냥 핑계다.

나는.

"…가로등에 비친 녀석의 얼굴… 참 예뻤단 말이죠."

내가 그렇게 말하자 잇사는 작게 숨을 들이마셨다.

그럴 만도 하다, 지금껏 내가 그에게 해 온 것과는 정반대되는 말이다.

나도 놀랍다. 그러나 틀림없이 이것은 진실이다. 내가 줄곧 외면해 온 사실이다.

"그래서 아마 저는, 실연당해서 외롭던… 그런 때에 갑자기 눈앞에 나타난 '예쁜 여고생'을 보고… 마음이 느슨해졌을 겁니다."

줄곧 의문이었다.

술에 취했지만 그럭저럭 괜찮은 윤리관을 갖고 있던 자신이 어째서 여고생을 집에 들이고 말았을까.

그 일이 범죄에 해당한다는 것도 알고 있었다.

사유의 백그라운드를 알고 감정을 이입한 것도 녀석을 데려온 다음 날의 일이다.

그날 녀석을 재워 줄 이유는 전혀 없었을 것이다.

그런데 진짜 이유는 정말 심플하고 시시한 것으로, 자신이 억누른 쓰레기 같은 감정이었다.

“아무리 정의로운 척 허세를 부려도… 저는 아마 사유가 ‘귀여웠기 때문에’ 녀석을 데려왔을 겁니다.”

나는 거기까지 단언하고 한숨을 쉬었다.

“아아… 정말 쓰레기다.”

그렇게 중얼거린 후 왠지 뒤이어 웃음이 새어 나왔다.

이해할 수 없다는 듯 내 표정을 보고 있던 잇사에게 나는 깊이 생각하기도 전에 말했다.

“하지만 비로소 깨닫고… 엄청 후련해졌습니다.”

내가 그렇게 말하자 잇사는 몇 초간 어리벙벙한 얼굴로 나를 쳐다보다가 갑자기 웃음을 터뜨렸다.

“하핫.”

“어, 뭡니까….”

잇사는 우스운 듯 한바탕 웃은 뒤 말했다.

“아니, 뭐라고 할까, 정말… 믿기지 않을 만큼 솔직한 사람이로군.”

어지간히 웃겼던지 눈가에 살짝 고인 눈물을 걷어 내고 잇사는 말을 잇는다.

“보통 지금 이 타이밍에서 제게 그런 말을 합니까? 자신의 입장이 위태로워진다는 것쯤은 어른이라면 알 수 있을 텐데요.”

나를 규탄하는 말. 그러나 그 안에 실린 감정은 분명 부정적인 것이 아니었다.

"그런데도 당신은 말하는군요, 바보처럼, 정직하게…."

나는 뭐라고 대답하면 좋을지 몰라 목뒤를 긁적였다.

"좋다고 생각합니다."

잇사는 말했다.

"남자들이란 귀여운 여자에게 약한 법이죠. 그런 흑심을 숨기고 번지르르한 말만 하는 녀석보다 훨씬 호감이 갑니다. 게다가…."

잇사는 거기서 말을 끊고 내 눈을 가만히 바라보았다.

시선이 교차한다. 몇 초 뜸을 들인 후 그는 훗 웃고서 말했다.

"그런 마음으로 데려왔으면서 당신은 녀석에게 손을 대지 않았습니다. 그것은 역시 무척 대단한 일입니다… 당신이 생각하는 것보다 훨씬."

잇사의 말에 나는 배 속 깊은 곳이 조금 뜨거워지는 것을 느꼈다.

나는 무엇을 하고 있는가.

이것은 올바른 일인가.

사유를 집에 들인 후로 줄곧, 줄곧… 생각해 왔다.

그 마음을, 지금까지 사유를 소중히 여겨 온 인물에게 인정받은 느낌이었다.

눈시울이 뜨거워지려는 것을 꾹 참는다. 이런 곳에서 눈물을 보일 수는 없다.

"후후, 하지만 그렇군요…. 사유가 귀여웠기 때문에 데려왔다…라, 후후후."

또 생각이 난 듯 잇사는 웃는다.

"역시 당신도 쓰레기군요."

잇사의 그 말에는 명백히 나를 비난하는 의미가 담겨 있었다. 하지만 그 안에 깃든 감정은 나에 대한 놀림에 가까운 것으로.

나도 실소하고 인정했다.

"네… 정말."

"하지만 같은 쓰레기라고 해도 역시 그날 그 녀석과 만난 사람이 요시다 씨라서 다행입니다… 분명."

잇사는 거기까지 말하더니 갑자기 진지한 표정이 되었다.

그리고 무언가를 결심한 듯 숨을 들이마시고.

"…그 녀석은 어렸을 때부터 부모에게 사랑받지 못하는 아이였습니다."

라고 내 눈을 보면서 말했다.

그것은 분명 말로는 하지 않는 나에 대한 신뢰 표현이자.

그리고 사유에 대한, 분명 사유가 이야기하지 않은 과거 개시의 서두이다.

"…자세히 여쭈어도 되겠습니까?"

그의 의도를 파악했음을 분명히 전달하기 위해 나도 진지하게 그렇게 말했다.

잇사는 고개를 끄덕이고 천천히 이야기를 시작한다.

사유의 아버지는 두말할 필요도 없이 '오기와라 푸드'의 사장이다. 그리고 당시 오기와라 푸드에 근무하던 사유의 어머니와는 어떤 계기로 친해졌는지 잇사도 모르는 듯하지만 어쨌거나 두 사람은 만났고, 그리고 맺어졌다.

어머니는 전업주부가 되어 잇사를 가졌고 낳았다고 한다.

그 무렵은 사유의 어머니에게 있어서도 행복의 절정기였던 듯 잇사는 몹시 사랑받으며 자랐다고 한다. 그러나 그런 행복한 시기는 몇 년 만에 끝났다.

사유의 아버지는 엄청난 바람둥이로, 외모가 아름다운 여성이라면 무조건 좋아했던 모양이다. 잇사의 말로는 사유의 어머니도 굉장한 미인이라는데, 그런 의미에서는 아버지가 어머니와 한때 맺어진 이유에 대해 잇사도 납득할 수 있다고 한다. 나는 쓴웃음을 짓고 말았다.

그렇게 되면 다음은 듣지 않아도 쉽게 상상이 갔으나, 잇사는 그 후의 일도 차근차근 이야기했다.

사유의 아버지는 갈수록 사유의 어머니에게 흥미를 잃어 갔다. 그러면서도 이따금 생각났다는 듯이 부부관계만큼은 가졌다고 한다.

"그리하여 어머니는 사유를 가졌습니다."

그렇게 말한 잇사의 표정은 기쁘게도, 슬프게도 보였다. 실제로 두 감정 모두 그의 가슴속에서 소용돌이치고 있으리라.

"하지만 아버지는 더 이상 어머니를 사랑하진 않았습니다."

그 말이 차갑게 울린다.

"그리고 어머니도 그 사실을 알고 있었습니다."

잇사는 담담히 이야기했다.

둘째 아이를 임신한 사실을 처음 알았을 때 사유의 아버지는 아이를 지울 것을 제안했다고 한다. 슬픈 일이지만 당연하다고도 생각한다. 사랑하지 않는 사람의 아이를 키우고 싶을 리 없다.

하지만 사유의 어머니는 반대했다. 그녀에게 둘째 아이는 남편의 사랑을 붙들어 둘 마지막 희망이었기 때문이다. 그녀는 진심으로 남편을 사랑했던 것이다.

그리하여 아버지의 반대를 무릅쓰고 사유는 태어났다.

"그 결과… 아버지는 어머니 곁을 떠났습니다. 지금은 다른 여성과 재혼했지만 잘 살고 있는지 어떤지는 모릅니다. 그도 그럴 것이 그런 기질을 가진 분이라…."

그런 기질이란 얼굴을 밝히고 바람기가 다분한 성향을 가리키는 말이리라. 잇사는 모든 것을 포기한 듯한 태도로 담담하게 이야기한다.

"어머니에게 있어 남편과의 사랑의 결정체였을 사유는 돌연 남편이 자신을 사랑하지 않은 증거가 되어 버렸습니다. 그 후의 일은… 아마 사유에게 들으셨을 거라 생각합니다."

나는 선뜻 입을 열 수 없었다.

사유에게서는 자신에 대한 어머니의 태도가 너무 매정했다는 말밖에 듣지 못했는데, 이런 이야기를 들어 버린 이상 그녀의 어머니만 나쁘게 말하고 싶진 않았다.

솔직히 말하면 내가 보기에 사유의 아버지는 나쁜 놈에 지나지 않지만, 그렇다고 사유가 어머니의 사랑을 받지 못한 이유가 아버지에게만 있는가 하면 딱 잘라서 그렇다고도 말할 수 없다고 생각한다.

다양한 사정과 감정이 얽혀 사유는 불행을 짊어지게 된 것이다.

"…안타깝네요."

겨우 나온 말은 그것이었다.

잇사도 말없이 그에 동의한다.

"사유도 어렸을 때는 해맑은 아이였습니다. 웃는 모습이 귀엽고 생기가 넘쳤죠. 하지만 어머니는 철저히 그 아이를 사랑하지 않았습니다. 그것을 알 나이가 되었을 무렵, 사유는 어머니 앞에서 거의 웃음을 보이지 않는 아이가 되었습니다."

잇사는 거기까지 말하고 테이블 위에 올려 두었던 주먹을 꽉 움켜쥐었다.

"저는 그것이… 정말 슬펐습니다."

그렇게 말한 그의 표정은 정말 괴로워 보였다.

"나만큼은 사유를 사랑해 주자고 줄곧 생각해 왔습니다. 실제로 그렇게 해 왔다고 생각합니다. 하지만…."

잇사는 깊은 한숨을 내쉬고 고개를 가로저었다.

"저로는 부족했죠. 저는 항상 사유의 고독을 느꼈습니다."

그렇게 말하더니 잇사는 천천히 눈을 감고,

"…아이에게는 부모의 사랑이 필요합니다."

라고 말했다.

그 말은 아주 묵직하게 내 마음을 울렸다.

나는 줄곧 부모에게 사랑받고 자라 왔다고 생각한다. 그래서 진정한 의미에서는 부모에게 사랑받지 못한 아이의 마음을 이해할 수 없다고 생각한다.

그렇지만 어린 시절부터 줄곧 부모에게 사랑받지 못하고 마치 적을 보는 것 같은 시선 속에서 자란다는 것을 상상하면, 상상만으로도 오싹해진다.

아이는 부모 이외에 누구를 의지하고 살면 좋단 말인가.

"그런 의미에서."

잇사의 시선이 슥 내게로 향했다.

"요시다 씨, 당신은 사유에게… 난생처음으로 생긴 부모 같은 존재였는지도 모릅니다."

그렇게 말하고 잇사는 다시 한번 깊숙이 고개를 숙였다.

"…감사합니다. 사유를… 소중히 대해 주셔서."

"아뇨, 뭘요."

고개를 드십시오, 하려다가 잇사의 어깨가 떨리고 있는 것이 눈에 들어와 말을 삼켰다. 잇사는 곧 주머니에서 손수건을 꺼내어 자신의 눈에 갖다 대었다.

"죄송합니다."

"아뇨… 괜찮습니다."

잇사는 진심으로 사유를 걱정하고 있다. 그것은 지금까지의 절실한 말투에서 분명히 전해져 왔다.

이만큼 사유를 위하는 잇사가 그녀를 본가에 데리고 돌아가려는 것이다. 그 후의 일이 어떻게 될지와는 별개로 그 계획을 내가 저지한다는 발상은 사라져 없어지고 말았다.

하지만 역시 사유의 의사를 우선하고 싶다는 마음도 있다.

"사유는… 아마 아직 집에 돌아갈 결심이 서지 않았을 겁니다. 저도… 어떻게든 뒤에서 도와주고는 싶지만, 그래도… 이야기를 들어 보니 그녀가 자발적으로 돌아가고 싶어 할 만한 집은 아니군요."

최대한 조심은 하면서도 내가 어설프게 얼버무리지 않고 말하자, 잇사도 천천히 고개를 끄덕이며 동의했다.

“그건 저도 그렇게 생각합니다. 하지만… 이 이상 가출을 끌면 집에 돌아간 후의 사유에 대한 처사가 더 가혹해질지도 모릅니다. 어차피 미성년자인 사유가 집에 돌아가지 않고 버틸 수도 없으니까요.”

“…그렇군요.”

잇사의 말에 따르면 사유의 안부를 PTA에서 주목하기 시작했다고 한다. 만약 반년도 넘게 가출하여 행방을 알 수 없다면 확실히 큰 문제로 번질 것이다.

그렇게 되면 이번에야말로 나도 무사할 수 없다.

윤리에 위배되는 일은 하지 않았다고 가슴을 펴고 말할 수 있지만 법률에는 명확히 위배되기 때문이다.

그것까지 다 감안하여 ‘그래도 내가 데리고 있어 주겠다!’라고 무책임하게 말할 수는 없고, 그렇게 말한다고 해도 잇사는 허락하지 않으리라.

“…며칠 안 남았지만 사유를 잘 부탁합니다.”

잇사는 조금 울적한 어조로 그렇게 말했다.

“…네.”

나도 그 말에 진지하게 대답했다.

우리의 대화가 끊긴 것과 동시에 음식이 나왔다.

잇사는 방금 전까지와는 표정을 싹 바꾸어 내게 미소 짓는다.

“그럼 어두운 이야기는 여기까지 하고 식사하시죠. 여기 음식은 뭘 먹어도 맛있습니다."

"그럼 사양 않고… 잘 먹겠습니다."

나도 어두운 분위기가 계속 이어지지 않도록 가급적 밝은 목소리로 대답한다.

어쩐지 낯선 이름의 토마토소스 파스타를 주문했는데 딱 한 입 먹고도 확실히 패밀리 레스토랑의 파스타와는 차원이 다른 맛임을 알 수 있었다.

아침에 일어나자마자 느낀 공복감이 되살아나 나는 정신없이 파스타를 입에 욱여넣었다.

*

"그럼 또 뵙죠. 다음에는 사유를 데리러 오겠습니다."

"그때까지 저도 할 수 있는 건 노력하겠습니다."

식사를 마친 후 잇사는 다시 나를 차에 태워서 집까지 데려다주었다.

가벼운 인사를 나누고 잇사는 차를 출발시킨다. 차가 보이지 않을 때까지 지켜본 뒤 나는 집으로 돌아왔다.

현관문을 열고 집으로 들어가니 거실에 다소곳이 앉은 사유가 눈에 들어왔다.

사유는 나를 지그시 보며 말했다.

"어서 와. 어디 갔었어?"

"어어."

나는 신발을 벗고 거실로 들어간다.

"사유의 오빠와 프렌치 요리를 먹으러 갔었어."

내가 그렇게 대답하자 사유는 놀란 듯 눈을 동그랗게 뜨고 "그렇구나."라고 중얼거렸다.

"지금 일어난 거야?"

"으, 으응… 미안, 푹 자 버렸어."

"사과할 일이 아니잖아. 휴일인데."

"응…."

사유는 미적지근하게 대답하고 입을 다물어 버린다.

나는 집 안에서 외출용 옷을 입고 있자니 기분이 좋지 않아 얼른 옷을 갈아입기 시작했다.

그러고 보니 사유가 온 지 얼마 안 되었을 무렵에는 옷을 갈아입는 것만으로도 안절부절못했는데, 최근에는 완전히 익숙해져 버렸다.

내가 실내복으로 다 갈아입었을 즈음 사유가 입을 열었다.

"…오빠가 뭔가 말했어?"

"뭔가라니?"

내가 되묻자 사유는 난처한 듯 시선을 바닥에 떨군다.

"뭔가는… 뭔가지."

사유의 그 모습이 사랑스러워서 나는 실소했다.

"딱히 네 험담 같은 건 안 했어."

"그거야… 뭐, 오빠는 그런 거 안 하니까."

"오히려 그 오빠, 너를 정말 사랑하고 있다고 생각했어."

"사랑…! 아니, 뭐…."

사유는 얼굴을 붉히며 당황한 후 조금 목소리를 낮추어 인정했다.

"맞아…. 굉장히 소중하게 대해 줘."

"그만큼 소중히 대해 주는 사람과의 연락을 끊은 건 역시 반성해야 한다고 생각해… 아니, 네 심정도 이해는 가지만 말이야."

"응… 그건 이미 반성하고 있어."

풀이 죽은 사유를 보고 또 불필요한 설교를 늘어놓은 것 같아서 나도 반성한다. 본인이 익히 아는 사실을 다시 말하는 것은 무의미하기 짝이 없다.

"…이봐, 아직 무서워?"

내가 묻자 사유는 시선을 낮은 곳에 떨어뜨리고 천천히 대답했다.

"…응. 무서워."

"그래… 그렇겠지."

나도 그것을 인정한다. 무섭지 않을 리 없다고 생각한다.

"아마… 시간이 아무리 지나도 그곳에 돌아가는 게 무섭지 않은 날은 오지 않을 것 같아."

"…그럴지도 모르지."

"그치만 말이야."

사유는 문득 고개를 들어 나를 보았다. 그 눈동자는 어딘지 모르게 굳세어 나도 눈을 피할 수가 없었다.

"돌아가지 않으면 안 된다는 건 알고 있어."

"…그렇구나."

나는 뭐라 형언할 수 없는 기분이 되어 일단 맞장구를 쳤다.

"남은 건 각오를 다지는 것뿐… 그것뿐인데."

사유의 목소리가 조금 떨렸다.

"하지만 역시… 무섭네."

"…그렇겠지."

사유는 이곳에 온 직후보다 자신의 마음을 솔직하게 표현할 수 있게 되었다고 믿는다.

그것은 분명 좋은 변화로, 나는 그것이 기뻤다.

이곳에 온 후로 사유는 여러모로 변한 느낌이다. 그것이 성장일지 아니면 퇴화일지. 결정할 사람은 그녀 자신이라고 생각하지만, 나와 얽힘으로써 사유 안에서 무엇인가 변하고 그 결과 그녀의 인생이 보다 좋은 쪽으로 나아간다면 그것은 무척 근사한 일이리라.

남은 며칠 동안 나는 이 녀석에게 무엇을 해 줄 수 있을까.

그런 것을 생각하면서 사유를 바라보는데, 갑자기 사유가 시선을 들어 우리는 눈이 마주쳤다.

"그래도 일단은 평소에 하던 일을 제대로 할래."

사유의 그 말에 조금 전까지의 불안한 감정은 실려 있지 않아서 무언가가 리셋된 듯 발랄하게 들렸다.

"집안일과 아르바이트에 힘쓰고, 그 일이 끝나면 뒹굴뒹굴하고, 아사미가 오면 수다를 떨고…."

사유는 거기까지 말하고 평온한 표정을 지었다. 나는 그 표정에 살짝 시선을 빼앗기고 만다.

"여기서만 보낼 수 있는 일상을… 조금 더 즐겨도 되겠지."

조금 더, 라는 사유의 말에 나는 가슴에 욱신거리는 통증을 느꼈다.

진즉에 알고 있던 일인데도 역시 그녀와의 생활에 마련된 타임 리밋을 의식하면 마음이 괴롭다.

"요시다 씨, 뭐 먹고 싶은 음식이 있으면 말해. 솜씨를 발휘해서 만들 테니까!"

"어, 으응…."

씩씩하게 그렇게 말하며 웃는 사유를 보고 나도 어두운 분위기가 되지 않도록 대답했다.

"그래, 먹고 싶은 게 생기면 바로 말할게."

"그렇게 해 줘!"

사유는 힘차게 고개를 끄덕이고 자리에서 일어섰다.

"좋았어, 늦잠을 자 버렸으니 우선 빨래를 하자."

사유는 자신을 북돋우듯 그렇게 말하더니 세탁기 쪽을 향해 갔다.

그 뒷모습을 보면서 나는 어딘지 묘한 쓸쓸함을 느꼈다.

수염을 깎다.
그리고 여고생을
줍다.

11화 증명

사유와의 매일은 눈 깜짝할 사이에 지나갔다.

일은 꼭 정시에 끝냈고 퇴근하면 되도록 긴 시간 사유와 대화했다.

사유는 여느 때보다 힘이 들어간 음식을 만들어 주었고 그것은 매번 맛있었다.

"레시피를 쓴 노트를 두고 갈 테니 가끔은 직접 해 먹는 편이 좋아."

라는 사유의 말에 "고마워."라고 대답하면서 사유가 사라진다는 비현실감으로부터 눈을 돌렸다.

정말로 이번 주에 사유는 홋카이도로 돌아간다.

사유의 오빠가 찾아왔던 토요일 이후 나는 애써 사유에게 '각오는 됐어?'라는 질문을 던지지 않으려고 노력했다. 사유도 마찬가지로 내게 그런 유의 화제는 꺼내지 않았다.

요 일주일 동안은 어쩐지 평소보다 '소중하게' 일상을 보내는 듯한, 그런 느낌이 들었다. 사유가 어떻게 생각하는지 나로서는 알 수 없지만 어쩐지 그녀도 똑같이 생각하고 있지 않을까, 하고 멋대로 짐작했다.

"있잖아, 오늘은 가고 싶은 곳이 있어."

저녁을 먹는데 갑자기 사유가 그런 말을 하기에 나는 일단 젓가락을 내려놓았다.

"이런 시간에?"

묻자 사유는 고개를 끄덕였다.

"이 시간이 아니면 안 되거든."

사유는 그렇게 말하고는 벌떡 일어서서 커튼을 살짝 걷고 하늘을 보았다.

"…다행이다, 맑아."

"?"

여전히 머리 위에 물음표를 떠올리고 있는 내게 사유는 생긋 웃고 말했다.

"별 보러 가지 않을래?"

"별?"

"그래, 별. 굉장히 예쁘게 보이는 곳이 있거든. 아사미가 가르쳐 줬어."

"아아… 어젯밤, 저녁 먹기 전에 둘이서 어디 가더니 그거였어?"

"응, 전에 한 번 아사미를 따라간 적이 있는데 장소가 정확히 기억나지 않아서…."

사유는 그렇게 말하더니 주머니에서 스마트폰을 꺼냈다.

"어제 또 한 번 따라가서 장소를 기록해 왔어."

그렇게 말하고 지도 앱을 열어 보여 주는 사유.

그렇게까지 해서 내게 그 별하늘을 보여 주고 싶었던 걸까.

"…알았어, 그럼 다 먹으면 갈까?"

내가 승낙하자 사유는 기쁜 듯 웃음 짓고 "응." 하며 고개를 끄덕였다.

그러고 보니 학창시절에는 동아리 활동을 마치고 돌아가는 길에 하늘을 올려다보면 곧잘 별이 보였지, 하고 회상한다.

어른이 되어 이곳에 이사 와서는 별이 보이는지 어떤지 신경을 쓴 적이 어쩌면 한 번도 없을지도 모른다.

사유가 내게 보여 주려고 하는 별하늘이라는 게 어떤 것일지 조금 기대되기 시작했다.

저녁 식사를 마치고 담배를 한 개비 피운 뒤 나는 사유와 함께 집을 나섰다.

"걸어서 갈 수 있는 거리야?"

"조금 멀지만 충분히 걸어 갈 수 있는 거리야. 20분쯤 걸리려나.”

“20분이라. 뭐, 식후에 좋은 운동이 되겠네.”

흘끗 시계를 보니 아직 밤 8시가 지난 정도였다.

별을 보며 여유를 부린다고 해도 뭐, 상식적인 시간에 돌아올 수 있을 정도라서 일단 안심이다.

“의외로 가로등이 밝은 곳에서도 별이 보이는구나.”

문득 사유가 말하기에 나도 덩달아 하늘을 올려다보니 확실히 하늘에는 별이 떠 있었다. 구름은 거의 없어서 예뻤다.

“정말이네. 별로 의식한 적이 없었어.”

내가 말하자 사유는 쿡쿡 웃는다. 그리고 이어서 불쑥 말했다.

“도쿄에 갓 올라왔을 무렵에는 ‘별이 별로 보이지 않는 도시네’라고 생각했던 게 기억나.”

“그건… 홋카이도에 비해 그렇다는 건가?”

내 질문에 사유는 조용히 고개를 끄덕이고 대답했다.

“맞아. 저쪽은 정말 얄미울 정도로 별이 예뻤어.”

사유는 그렇게 말하면서 어딘지 먼 곳을 쳐다보는 듯한 표정을 지었다. 분명 예전 일을 떠올리고 있으리라. 별하늘 이외의 것도… 떠올리고 있으리라.

“그런데 어렸을 때부터 그 별하늘에 익숙했던 터라 이쪽에 왔을 때는 놀랐어. 이렇게 별이 보이지 않을 수도 있구나 싶어서."

"그렇구나."

흥미가 없는 건 아니지만, 애써 감정이 배어나지 않도록 맞장구를 쳤다. 틀림없이 그러는 편이 좋다고 생각했기 때문이다.

"하지만 그런 게 신경 쓰인 건 초반뿐. 그 후로는 계속 도망다닐 방법만 궁리하느라 별 따위는 금세 잊고 도시에 익숙해져 버렸어."

"…그렇구나."

담담히 이야기하는 사유. 옆얼굴을 훔쳐보지만 딱히 비장함이 감돌고 있는 것은 아니다.

이미 그녀 안에서는 지금까지의 괴로운 여정도 '지난 일'로 처리되었을지 모른다. 그렇지 않고서야 이토록 담담히 이야기할 수 있을 것 같지 않다.

어쨌거나 그녀는 이미 한 걸음 발을 내디뎠다.

과거에 마음을 사로잡혀 우물쭈물 맴돌던 곳으로부터 미래를 향해 걸어 나가려고 한다.

그런 생각을 하며 사유의 옆얼굴을 보는데 문득 사유가 고개를 들어 나를 보았다.

"그래서 말이야, 지금 가는 곳에서 아사미가 별을 보여 주었을 때 무척 놀랐어…. 도시에도 이토록 별이 예쁘게 보이는 곳이 있구나 싶어서."

사유의 말을 들으며 걷다 보니 어느새 주위는 이미 내가 아는 '근처 길'이 아니었다.

"도시라서 별이 보이지 않는 게 아니라 보이지 않는 곳에 있어서 보이지 않았을 뿐이구나, 하고 깨달았다니까."

아직 집을 나와서 10분도 걷지 않은 지점에 있을 것이다.

그렇지만 여러 해 이곳에 산 나도 이미 내가 어디에 있는지 정확하게는 알 수 없다.

회사에 가서 일을 하고, 일이 끝나면 집에 와서 잔다. 그 반복되는 생활 속에서는 자신의 집 도보권 안에 '별이 보이는 장소'가 있다는 사실 같은 건 알아차릴 수 있을 리 없을 것이다.

"요시다 씨."

"응?"

부르는 소리에 사유를 봤지만 그녀는 진행 방향에 물끄러미 시선을 고정한 채였다.

그러나 의식만큼은 나를 향해 있는 게 왠지 모르게 느껴진다.

사유는 조용히 말했다.

"아마 어딜 가든지… 진정한 의미에서 무언가가 변하는 일은 없을 거라고 생각해."

사유의 그 말에 나는 작게 숨을 삼켰다.

그녀가 하려는 말은 아직 이해할 수 없다. 그렇지만 그녀의 말에는 반론할 수 없는 이상한 무게가 깃들어 있었다.

틀림없이 사유는 진정으로 '이해하고' 그 말을 했으리라.

"환경이 바뀌면, 어울리는 사람이 바뀌면… 조금이나마 편해질 수 있다고, 편해졌다고… 그런 식으로 생각하며 희망을 찾아 계속 도망쳐 왔는데."

사유는 담담히 말을 잇는다. 차분한 음성.

"하지만 역시 나 자신이 변하지 않으면 안 된다는 걸… 비로소 진정한 의미에서 깨달을 수 있었어."

사유는 그렇게 말하고 나에게 슥 시선을 건넸다.

"요시다 씨와, 요시다 씨 주변 사람들 덕분이야."

"…그렇구나."

직설적인 그 말에 나는 뭐라 형언할 수 없는 기분이 되어 사유에게서 시선을 돌렸다.

오늘 사유와의 대화로 조금씩 실감이 나는 것이 있다.

그것은… 분명 그녀가 한 걸음 내딛기 위한 답은 이미 그녀 안에 있으리라는 사실이다.

이제 '형태가 있는 과거'인 어머니 곁으로 돌아갈 용기가 필요할 뿐이다.

"좋았어, 이제 온 만큼만 더 걸으면 도착해!"

"벌써 그렇게 걸었나? 의외로 가까운 느낌이네."

"이야기하고 있으면 금방이라니까. 그럼, 이 비탈길을 올라간다."

그렇게 말하고 사유가 가리킨 것은 완만한 비탈길의 입구였다. 길은 명백히 작은 언덕 쪽을 향하여 나 있다.

"…설마 도착할 때까지 계속 오르막길인가?"

"그럴걸요."

"이봐이봐… 아재한테 운동을 시키다니."

내 말에 사유는 쿡쿡 웃었다.

그 웃는 얼굴을 곁눈으로 보고 이 모습과도 이제 며칠 있으면 작별인가, 하는 생각을 한다.

가슴이 조금 시큰한 것을 나는 애써 무시하려고 했다.

*

"자~ 도착했어."

"생각보다 힘드네…."

언덕을 다 오르자 쌀쌀한 밤인데도 살짝 땀이 날 정도로 몸이 따뜻해져 있었다.

"이런 곳을 여고생 둘이서 자전거로 왔다고?"

"그거 나도 생각했어…. 내가 몰랐을 뿐, 그거 전동 자전거였나?"

그런 말을 주고받으며 언덕 정상에 있는 공원 잔디밭으로 둘이 들어간다.

"요시다 씨, 여기야."

사유는 잔디밭 한가운데에서 먼저 위를 보고 벌러덩 드러누웠다.

"으앗, 바닥 차가워."

"이봐이봐, 옷 더러워지잖아."

"됐어, 빨래하는 사람 나인걸. 자, 요시다 씨도 얼른."

사유의 재촉에 으쌰, 하며 잔디밭에 앉은 뒤 드러눕는다.

그러자 눈앞에 별하늘이 좍 펼쳐졌다.

"우와…."

무의식중에, 탄성이 흘러나온다.

상상했던 것보다 훨씬 예쁘게 별이 보였다.

"예쁘지?"

옆의 사유가 조금 자랑스러운 듯 그렇게 말했다.

"어어…."

이토록 밝게 빛나는 별을 본 것은 정말 오랜만의 일 같았다.

"저기, 요시다 씨."

옆으로 돌아누운 사유가 불쑥 말했다.

주변은 조용해서 작은 목소리도 잘 들렸다.

"여기 왔을 때 아사미가 말해 줬어."

"뭘?"

“별하늘에서 보면 우리들 따위는 작은 존재지만 그래도 한 사람 한 사람에게는 버젓이 역사가 있고 미래도 있다… 라고.”

“푭.”

내가 무심결에 웃음을 터뜨리자 사유의 시선이 내 옆얼굴에 꽂히는 게 느껴졌다.

내용이 웃겨서 웃은 게 아니다.

“그 녀석, 진짜 고등학생답지 않은 것 같아서.”

“아아… 후후, 무척… 어른스럽지?”

“미안, 이야기를 가로막아 버렸네.”

“아냐, 괜찮아.”

사유는 다시 하늘로 시선을 돌리고 말을 잇는다.

“그 말을 듣고서 말이야, 그때는… 왠지 안심이 돼서 울어 버렸거든.”

“안심이 되었다고?”

“응… 아사미는 말이지, 내 형편없는 과거를 긍정해 주었어. 그런데도 꿋꿋이 살아오느라고 애썼다면서.”

사유는 사뭇 진지하게 그렇게 말했다.

그 말이 맞다. 사유는 고등학생이 다 감당할 수 있을 거라고는 도저히 생각할 수 없는 슬픈 과거를 짊어지고도 계속 ‘희망’을 찾아 왔다. 타인에게 인정받을 수 있는 길이 아니었지만, 그녀가 조금이나마 ‘지금보다 나아지자’라며 발버둥을 친 사실은 사라지지 않는다.

"근데 말이야, 지금 생각하면."

사유는 조금 떨리는 목소리로 중얼거린다.

"그것은 '용서'이기도 하지만, 어쩔 수 없는 '현실'이기도 한 것 같아."

사유의 말은 하늘에 빨려 들어가듯 조용히 울렸다.

나는 말없이 사유의 말을 듣고 있다.

"내가 앞으로 몇 년을 살아도, 아무리 나와 어울리는 사람이 바뀌어도… 내가 이렇듯 이런 곳까지 도망쳐 왔다는 역사는 내 안에 계속 남을 거야."

"…그렇구나."

"다른 누군가가 용서해 주고 긍정해 줘도 그 사실은 쭉 남을 거야. 그저 도망치고 싶다는 마음만으로 무척 소중한 것을 잔뜩 버려 왔던 일. 자신을 소중히 여겨 주는 사람에게 등을 돌려 왔던 일…."

무심코 사유의 옆얼굴을 본다.

분명 자신에게도 부하가 걸릴 이야기를 그녀는 담담히 계속하고 있다.

혹시 괴롭지는 않을지 그녀를 보았으나 이내 그런 생각은 사라졌다.

그녀의 눈동자는 별하늘이 비쳐서 무척 예뻤다. 그리고 별하늘이 비쳐서… 라는 이유만으로는 설명할 수 없는 어딘지 불가사의한 '강한 빛'을 나는 포착했다.

"쭉 사라지지 않아, 내가 저지른 잘못은."

사유는 거기까지 말하고 슥 나를 보았다. 그 시선은 어딘지 어른스러워서 나는 흠칫 놀랐다.

"하지만 말이야, 요시다 씨."

말하면서 사유는 내 손을 잡았다. 사유의 손은 매우 차갑다.

"…그래도 나는 최악의 도피행 끝에… 요시다 씨를 만날 수 있었어."

사유의 눈에서 시선을 뗄 수 없다.

사유와 마주 본 채 그녀의 말을 기다린다.

"요시다 씨를 만나지 못했다면 나는 자신의 잘못을 계속 외면하면서 더 최악의 상황까지 갔을지도 몰라."

더 최악의 상황이라는 게 무엇을 가리키는지 나는 모른다. 하지만 그것은 정말 말 그대로의 의미이리라는 것만큼은 알았다.

"요시다 씨를 만나고 모든 것이 '좋아진' 거야. 이제 이 상태에서 벗어나고 싶지 않을 만큼 행복해."

"……."

그 말은 내 귓속을 웅 흔든다.

"쭉… 여기 있고 싶은, 기분이야."

사유는 내 눈을 쳐다본 채 천천히 그렇게 말했다.

나는 뭐라고 대답하면 좋을까.

내가 무슨 말을 하려다가 말다가… 하는 것을 되풀이하는 사이 사유는 쿡 웃고 말했다.

“그치만 말이야… 나는 여기 있으면 안 돼.”

“…어?”

무심결에 얼빠진 소리를 내자 사유는 다시 시선을 하늘로 돌렸다.

그녀와 내 손은 이어진 채다. 어느덧 사유의 손은 내 손의 온도가 옮아 따뜻하다.

“계속 여기 있으면 나는 결국 과거와 마주하지 않은 채… 매듭을 짓지 않은 채… 도망친 상태에서 끝나 버리고 말 거야.”

그렇게 말한 뒤.

꽉, 하고 내 손을 잡는 사유의 힘이 강해졌다.

“오기와라 사유의 역사는 도망의 역사가 되어 버려. 그러면….”

사유의 눈가에서 눈물이 슥 흐르는 것이 보였다.

그녀는 절실하게 무엇인가 소중한 감정을 토로하려 하고 있었다.

나는 듣는 것밖에 할 수 없다. 아니, 그것이 지금 내 역할이라고 생각했다.

사유가 눈물 맺힌 눈동자로 나를 보았다.

"그러면… 요시다 씨와 만난 일도 분명 무의미해질 거야."

그 말은 묵직하게, 마음을 짓누르듯 울렸다.

사유는 울면서, 한편으로는 미소를 지으면서… 천천히 말을 잇는다.

"나는 진심으로 요시다 씨와 만나서 다행이라고 생각해. 아니… 생각하는 게 아냐, '아는' 거야."

사유는 몸을 일으켜 다른 쪽 손도 내 손에 포갰다.

밑에서 올려다보는 형태로 나는 사유와 눈을 마주한다.

"나, 요시다 씨와 만나서 다행이야."

사유는 딱 잘라 그렇게 말했다.

서서히 가슴속이 뜨거워진다.

나도… 라고 대답하려 하기 전에 사유가 또 말을 이었다.

"그러니까."

그녀의 눈동자에 깃든 힘이 강해진 것을 느꼈다.

코를 훌쩍 들이마시고 사유는 말했다.

"나는 그것을 증명하지 않으면 안 된다고 생각했어."

"…증명?"

"그래, 증명. 내 인생에서 요시다 씨와 만난 건 행운이었다고. 나만 납득하는 게 아니라 누구에게나 보이는 형태로 그것을 증명하는 거야. 그러면, 그러면….”

사유는 거기까지 연달아 말하고 나서 깊이 숨을 들이마셨다.

그러더니 훗 미소를 지고 읊조리듯 말했다.

“그러면 나는 아마 혼자서도 살아갈 수 있을 거야.”

그렇게 말한 그녀의 표정은 고등학생의 그것 같아 보이지 않았다.

한 명의 성인 여자처럼… 내 눈에는 비쳤다.

…아아, 그렇구나.

깊이 숨을 들이마시고, 내쉰다.

수수께끼 같은 고양감, 그리고 그와 상반되는 잔잔한 파도가 마음속에 있다.

사유의 말을 듣고 그녀의 표정을 보며… 이해했다.

이제 사유는 괜찮다.

혼자 걸어가기 위한 힘을 비축한 것이다.

“…그렇구나.”

나는 자신이 살짝 코맹맹이 소리를 내고 있음을 모르는 척하면서 대답했다.

“그래서 누구에게나 보이는 형태로 그것을 증명한다는 건… 어떻게 하는 건데?”

묻자 사유는 쿡 웃고서 나를 보았다.

"알잖아, 그건."

사유는 그렇게 말하고 내 손을 꼭 잡는다.

"착실히 집에 돌아가 과거를 정리하고… 어른이 된다는 뜻."

사유의 말에 또 한 번 가슴이 미어졌다.

그것은 완전히 '각오를 다진' 말이었기 때문이다.

비로소 사유의 입에서 자발적으로 그런 말이 나왔다.

나는 그 사실에 전율했다.

"줄곧 생각했어. 이 도피행으로 내가 얻어 돌아가는 것은 무엇인지."

사유는 내 눈을 지그시 내려다본 채 말했다.

"진심으로 안심할 수 있는 사람을 겨우 만났는데, 그 사람과도 떨어져서… 나는 무엇을 얻게 되는 셈인지, 무서워졌어. 하지만…."

꽉, 하고 내 오른손을 사유의 두 손이 움켜잡는다.

시선이 교차한다.

이어서 사유는 '배시시' 웃으며 말했다.

"나, 요시다 씨를 만날 수 있었으니까."

그것은 방금 전에도 들은 말이다.

하지만 그녀가 또 한 번 그렇게 말한 이유는 잘 안다.

"아아…."

가슴속에 뜨거운 게 치밀어 오르는 것을 필사적으로 억눌렀다.

"요시다 씨와 만날 수 있었다는 단지 그것만을, 나는 '갖고 돌아갈' 거야."

사유는 그렇게 단언했다.

그러고 나서 심호흡을 하고 다시 내 옆에 누웠다.

"그러니까… 응원해 줘."

자그마한, 작은 목소리로 사유가 그렇게 말한다.

"…그야 당연하지."

나도 작은 목소리로 그렇게 대답하자 사유는 쿡 웃고서 침묵에 잠겼다.

둘이서 오랫동안 별하늘을 바라보았다.

도중에 하늘이 번져서 더는 또렷하게 보이지 않았다.

눈 속이 뜨겁다.

사유는 이제 이틀 후면 홋카이도로 돌아간다.

12화 절친

“아, 이런. 휴대전화 배터리 다됐네.”

점심시간에 주머니에서 스마트폰을 꺼내어 보니 전원이 나가 있었다. 그러고 보니 어젯밤 충전을 해 둔다는 것을 잊고 있었다.

“어머나, 그렇지만 선배는 어차피 갖고 있어도 스마트폰 잘 안 쓰잖아요.”

“뭐… 하긴.”

미시마가 사실을 지적했지만 나는 애매하게 맞장구친다.

실제로 미시마의 말이 맞아서, 내가 스마트폰을 쓰는 건 야근이나 동료와의 외식으로 귀가가 늦어져 사유에게 연락을 할 때 정도이다. 그러나 중요한 날을 코앞에 둔 상황에서 사유와 연락할 수 없다는 것은 참으로 불안했다.

“그런데 충전기 안 가져왔어요?”

"침대 위 콘센트에 그대로 꽂혀 있어."

"앗… 제 것은 선배 것과 규격이 다른데."

미시마의 그 말에 나는 문득 하시모토의 스마트폰을 떠올렸다.

"그럼 하시모토."

"응, 내 것은 아마 규격이 같지 않을까? 가져왔으니 이따가 빌려줄게."

"고마워. 뭐, 저녁까지만 충전하면 돼."

"알았어."

하시모토는 대답하며 사내 식당의 된장국을 후루룩 마셨다.

"내일이던가?"

그리고 생각난 듯 내 쪽을 본다.

"뭐가?"

"사유가 돌아가는 거."

"아아…."

하시모토가 먼저 사유를 화제 삼는 일은 드물기에, 의외로 이 녀석도 사유를 신경 쓰고 있구나 하고 느꼈다.

"맞아. 내일이야."

"그렇구나… 쓸쓸해지겠다."

"너는 딱히 면식이 없잖아."

"아니, 요시다가 말이야."

하시모토가 딱 잘라 말하기에 나는 그만 말문이 막혀 버렸다.

"나는…."

"매일 귀가하면 어서 오라고 인사해 주고 식사와 목욕물을 준비해 주던 사람이 갑자기 사라지는 거라고. 분명 쓸쓸할 거야."

쐐기를 박는 하시모토의 말에 나는 완전히 할 말을 잃었다.

"사유가 집에 돌아가면 집안일도 전부 스스로 해야 하니까요. 쓸쓸할 뿐만 아니라 큰일 났죠."

미시마도 어쩐지 히죽거리면서 때를 놓칠세라 놀렸다.

평소 같았으면 큰 소리로 되받아쳤겠지만 오늘은 왠지 그럴 힘이 솟구치지 않았다.

"그러게…."

내가 힘없이 대답하자 두 사람은 얼굴을 마주 보고 쓴웃음을 지었다.

"뭐, 오늘도 정시에 퇴근해서 최후의 시간을 만끽하라고."

"만끽…이라."

어쨌거나 오늘이 사유와의 공동생활 최종일이다.

마지막 날을 어떻게 마무리해 주어야 녀석이 긍정적인 마음으로 집에 돌아갈 수 있을까.

그런 것을 생각하며 점심을 먹다 보니 눈 깜짝할 사이에 오후 근무 시간이 되어 버렸다.

오늘도 제법 처리해야 하는 업무가 많다. 집중해서 하지 않으면 정시에 끝낼 수 없게 된다.

식당에서 데스크로 돌아와 서둘러 일을 재개했다.

*

정시가 가까워졌을 무렵에는 오늘 업무를 거의 다 끝낼 수 있었다.

문득 일에 대한 집중이 끊긴 타이밍에 나는 내 스마트폰을 떠올렸다. 그러고 보니 배터리가 바닥난 상태였다.

"하시모토, 충전기 빌려도 돼?"

"아아, 그러고 보니…."

하시모토도 까맣게 잊고 있었던 눈치로 자신의 데스크 서랍에서 충전기를 꺼내 건네주었다.

"고마워."

"다 쓰면 여기 다시 넣어 둬."

하시모토가 방금 연 서랍을 톡톡 두드리는 것을 보고 나는 말없이 고개를 끄덕였다. 하시모토는 부서 전체의 업무가 급할 때 외에는 진정한 의미에서 '딱 정시에' 퇴근하므로 물건을 빌렸을 때 미리 어디에 놓아두어야 하는지 묻지 않으면 서로 골치 아파진다.

콘센트에 충전기를 꽂고 스마트폰과 연결한다. 조금 있으니

새까만 화면에 커다랗게 충전 마크가 나타났다. 이 상태로 몇 분 기다리면 알아서 전원이 켜질 것이다.

일단 스마트폰은 놔두고 남은 일에 집중한다.

그리고 정확히 오늘 업무를 모두 처리한 타이밍에 다시 전원이 켜졌음을 알리는 진동이 내 스마트폰에서 울렸다.

딱히 아무 연락도 없었을 거라고 생각하면서도 화면을 탭하여 알림을 확인한다.

그러나 예상과 달리 오늘은 세 건이나 알림이 와 있었다.

하나는 부재중 전화이다. 번호는 사유의 것. 무슨 일이지 싶었으나 사서함에 음성 메시지는 남아 있지 않으니 별로 긴급한 용건은 아니었을지도 모른다. 하지만 긴급한 용건이 아니라면 문자 메시지로 충분했으리라.

의아하게 생각하며 다른 알림도 확인하니 이번 것은 아사미가 보낸 메시지였다.

그 내용을 보고 나는 은근슬쩍 등에 식은땀이 배어나는 것을 느꼈다.

「요시닷치, 오늘 사유짱 어디 나갔어? 인터폰을 여러 번 울렸는데도 받질 않네.」

라는 메시지에 이어 몇 분 뒤에 또 한 건.

「음, 왠지 현관문이 열려 있고 사유짱도 없는데. 어떻게 된 거야? 메시지를 보내도 읽었다는 표시가 뜨질 않아. 뭐 좀 알아?」

나는 반사적으로 데스크에서 일어서고 말았다. 근처 데스크에 앉아 있던 모두의 시선이 내게 모이는 것을 느꼈다.

아차 싶어서 다시 앉았으나 호흡이 얕아지고 불쾌한 땀이 멎지 않는다.

"왜 그래?"

옆자리의 하시모토가 의아한 듯 내게 시선을 주었다.

나는 떨리는 목소리로 대답한다.

"사유가 없어졌나 봐. 한 시간 전쯤 전화가 왔고 그 후로는 연락이 없어. 사유와 친한 여자아이가 집에 사유가 없다면서 연락을 해 왔어."

"…그거 괜찮겠어? 지난번에 조퇴했을 때처럼 위험한 상황에 처했다든지…."

"모르겠어. 일단 사유한테 연락해야 돼."

내가 황급히 스마트폰을 조작하기 시작하자 갑자기 하시모토가 내 팔을 붙잡아 나를 막았다.

"뭐야."

"그건 이동하면서 해도 돼. 퇴근 준비 해."

"응? 아니, 아직 퇴근 시간이…."

내가 입을 열려고 하자 하시모토는 전에 없던 기세로 내 말을 가로막았다.

"무슨 소릴 하는 거야, 일하고 있을 때가 아니잖아. 요시다는 말이야, 자신에게 지금 무엇이 가장 중요한지를 더 생각해 봐야 돼. 실은 알고 있잖아."

하시모토는 거기까지 말하고 데스크에서 일어나 종종걸음으로 고토 씨 데스크로 향했다.

그리고 여기까지 다 들리는 목소리로 말한다.

"몸이 좀 안 좋아서 조퇴하겠습니다. 요시다도 몸이 별로인 것 같으니 바래다주겠습니다."

하시모토의 너무도 당당한 거짓말에 고토 씨는 몇 초간 당황한 빛을 띠었으나, 내 쪽에도 몇 번인가 시선을 보내고 어쩐지 상황을 파악한 듯 "알았어요."라고 대답했다.

"위에는 내가 전할 테니 가도 좋아요. 하지만… 책임은 당신들이 지는 거예요."

"네, 감사합니다."

빤한 거짓말로 조퇴하는 것이다. 확실히 위에는 좋게 보이지 않으리라. 그런 의미에서의 '책임'을 말하는 거라고 생각했다.

하시모토의 그답지 않은 스피디한 행동에 내가 당황해하고 있는데 곧 하시모토가 돌아왔다.

“어이, 뭘 멍하니 있어. 가자.”

“아, 어어….”

“먼저 실례하겠습니다!”

절대 몸이 아픈 사람으로 보이지 않는 성량으로 하시모토가 인사하자 당혹감이 역력히 배어나는 말투로 동료들이 “수고하셨습니다….”라고 대답한다. 나도 뒤이어 “실례하겠습니다.”라고 말한 뒤 부리나케 회사를 나왔다.

하시모토의 차에 올라타 안전벨트를 매자, 하시모토가 평소보다 빠른 말투로 내게 물었다.

“요시다, 집 주소 안 바뀌었지?”

“어어… 그러고 보니 차로 우리 집에 온 적이 있었지.”

언제인가 그가 아내와 함께 우리 집에 놀러 온 적이 있음을 떠올린다.

“안 바뀌었어.”

“알았어. 대충 기억나니까 세세한 길만 가르쳐 줘.”

간략하게 말하고 하시모토는 차를 출발시켰다.

몇 분간, 말없이 계속 운전하는 하시모토에게 뭐라고 말을 건네야 할지 고민한 끝에 나는 “고마워.”라고 말했다.

하시모토는 대답을 하지 않았다.

다시금 우리 둘 사이에 침묵이 감돌았으나 몇 분 후 하시모토가 그 침묵을 깼다.

“왠지 열 받는단 말이지.”

“뭐?”

평소의 그는 별로 쓰지 않는 강한 표현에 놀랐다. 하시모토는 앞을 본 채 말을 잇는다.

“솔직히 나는 요시다가 여고생을 주웠다고 했을 때부터 왠지 모르게 이런 전개가 될 줄 알았어.”

“이런 전개라니?”

“네 머릿속이 그 아이로 가득 찬다는 전개 말이야.”

하시모토의 말에 나는 말문이 막혔다.

“아니, 그런 거 아닐 텐데.”

“그런 거 맞거든. 자각이 없는 게 더 질이 나빠, 초등학생도 아니고….”

하시모토가 조금 난폭하게 우회전했으므로 나는 균형을 잃고 조수석 창문에 머리를 부딪칠 뻔했다.

“요즘 네 머릿속은 온통 사유뿐이야.”

하시모토는 중얼거리듯 말했다.

“그것 자체가 나쁘다고 생각하진 않아. 이야기를 들어 보면 너는 훌륭하게 그 아이를 지키고 있어. 법적으로 따지면 뭐, 아무리 봐도 아웃이지만, 인간으로서는 나쁜 게 아니라고… 친구로서는 생각해.”

"그럼 뭐가."

뭐가 열 받는다는 거야, 라고 물으려 하는데 또다시 하시모토가 난폭하게 사거리를 돌았다. 차가 덜커덩 흔들리고, 이번에는 정말 창문에 머리를 부딪쳤다.

"좀 더 조심조심 운전할 수 없어?"

"급한 상황이잖아."

하시모토는 미안한 기색도 없이 그렇게 말했지만 분명 고의다.

"본인에게 중요한 것을 이미 뻔히 알고 있는데, 그것을 깨달았을 텐데, 너는 마지막 순간까지 애써 그것을 모른 척하려 하고 있어. 그게 정말로 열 받아."

하시모토가 화를 감추지도 않고 그렇게 말했다. 하시모토는 평소에 정말 온화해서 일에 대해 불평할 때조차 실실 웃는 녀석이다.

그런 하시모토가 명확히 '화내고 있는' 것이다. 그것은 그와 오래 알고 지낸 나조차 처음 보는 모습이었다.

"그 상황에서 무슨 놈의 일이야. 달려가고 싶어 견딜 수 없다는 얼굴을 하고 있었던 주제에."

하시모토는 내뱉듯이 말하고 순간 나를 곁눈질했다.

"정말 소중한 것은 스스로 깨닫지 않으면 늦고 말아."

그 말만 하고 다시 전방으로 시선을 돌린 하시모토.

나는 그 말을 마음속으로 반추했다.

정말 소중한 것은 스스로 깨닫지 않으면 늦고 만다.

그것은 지금의 내게는 몹시 중요한 교훈처럼 들렸다.

"사유를 혼자 집에 돌려보내려니 걱정되겠지."

하시모토가 말했다.

나는 선뜻 대답할 수 없었다. 하지만 그건 사실이다.

"그런데 그건 핑계야."

하시모토가 말했다.

"물론 사유가 걱정되기도 하겠지. 하지만 그것뿐만은 아냐."

하시모토는 거기서 말을 멈췄다.

때마침 신호가 빨간불로 바뀌었다. 차가 멈추어 서자 하시모토는 내 눈을 꿰뚫듯이 응시했다.

"너는 사유와 떨어지는 것 자체가 싫은 거야."

그 말에 나는 내 심장을 맨손으로 붙잡힌 느낌이었다. 내장이 바짝 옥죄이는 감각.

"아니, 나는… 녀석이 앞으로 행복하게 살아갈 수 있으면, 그걸로."

"그럼 행복하게 살아갈 수 있을 거라고 생각해? 이대로 집에 돌아가면 말이야."

정곡이었다.

내가 우려하는 것은 오로지 그 한 가지뿐이다.

그녀가 집에 돌아가야 한다는 것은 알고 있다. 그렇게 하지 않으면 안 되는 상황에 놓여 버린 것이다.

하지만 그로써 해결되는 것은 결국 그녀 어머니의 사정뿐이다.

이런 곳까지 도망쳐 와서야 겨우 솔직한 미소를 보일 수 있게 되었는데, 본가로 돌아가서 또다시 그 미소를 잃을 것을 생각하면 속이 말이 아니었다.

"전부 얼굴에 드러나 있어."

하시모토의 말에 나는 화들짝 놀랐다.

"알거든… 절친의 마음은."

신호가 파란불로 바뀌고, 하시모토는 다시 액셀을 밟았다.

또다시 서로 침묵에 잠긴다.

그리고 나는 또 같은 의문으로 되돌아갔다.

나는 사유에게 무엇을 해 주면 좋은가. 그리고 애초에 본인은 지금 어디로 가 버렸나.

아마도 위험에 처해 있지는 않을 거라고 생각한다. 사유가 사라진다는 사태는 이미 전에도 몇 번 경험했으나 모두 사유의 자발적인 행동에 의한 것이었기 때문이다. 게다가 오늘이라는 타이밍을 봐도 사유가 자발적으로 사라졌다고 생각하는 편이 타당할 것 같았다.

"갔을 만한 곳은 짐작이 가?"

하시모토가 내뱉듯이 묻는다.

“아니… 뭐, 짚이는 데가 없는 건 아니지만, 일단 다 가 봐야지….”

내가 대답하자 하시모토는 실소했다.

“그거 큰일이네.”

하시모토는 한마디만 하고 액셀을 밟는 발에 조금 더 힘을 주었다.

어느새 벌써 우리 집에서 지하철로 한 정거장 떨어진 시가지였다.

“자동차가 지하철보다 빠른가.”

“요시다네 근처 역은 커브가 많은 노선이니까. 일단 집으로 가면 될까?”

“어어, 고마워.”

“찾는 것도 자동차로 하자. 그게 더 빨라.”

“…고맙다.”

“인사는 사유를 찾고 나서 해도 돼.”

하시모토는 그렇게 말하고 조금 톤을 낮추어 말을 이었다.

“요시다…. 정말 소중한 것이 있으면 한눈팔지 말고 할 수 있는 건 하는 게 좋아. 이미 너희 둘은 서로에게 필요한 존재가 되어 버렸어. 걱정되면 따라가든 뭘 하든 하면 되잖아.”

“따라가다니, 홋카이도까지 말이야?”

"그래."

"너까지 그런 소리를…."

내가 고개를 가로젓자 하시모토는 실소했다.

"뭐야, 미시마에게도 같은 소리를 들었어?"

"어떻게 미시마인 줄 안 거야…."

"아니, 그랬을 것 같아서."

하시모토의 통찰력은 날카롭다. 어쩌면 하시모토도 일적인 것까지 포함하여 이미 미시마의 성격을 간파했을지도 모른다.

"일은 어떻게든 돼. 그보다 일 따위는 돈을 벌기 위해 하는 거니까 어떻게든 되지 않더라도 알 바 아니잖아."

"아니, 그건 너무 무책임하지. 나는 이미 프로젝트의 중심에서 있다고."

내가 받아치자 하시모토는 또다시 곁눈질했다.

"그렇게 따지면 사유에 대해서도 마찬가지야."

하시모토의 어조는 강경했다.

"너는 이미 사유 문제의 중심에 발을 들여 버렸다고. 그리고 사유에게 필요한 존재가 되어 버렸어. 그 상태에서 자, 그럼 홋카이도에서는 혼자 분발해, 라고 말하는 건 무책임하지 않아?"

"…그건."

"마찬가지야. 전혀 다를 거 없어. 남은 건 너한테 어느 쪽이 더 중요한가 하는 것뿐일 텐데."

하시모토는 거기까지 말하고 작게 한숨을 쉬었다.

"…왜 이렇게 자식 키우듯 타일러야 하는 거야."

"…미안."

여기까지 듣고도 자신의 마음을 깨닫지 못할 만큼 나도 바보는 아니었나 보다.

입을 다물어 버린 내게 하시모토는 또 한 번 말했다.

"일은 괜찮을 거야. 요시다가 썩 좋은 매뉴얼을 남겨 두었으니 숙련도가 필요한 업무는 나와 엔도가 하든지 하고, 새로운 건 미시마에게 시키면 어떻게든 돼."

"그래…."

"더 이상은 이제 말 안 해. 나머지는 스스로 결정하면 돼."

하시모토는 여느 때의 온화한 어조로 돌아와서 그렇게 말했다.

"여기서 좌회전 맞던가?"

갑작스러운 하시모토의 질문에 문득 차창으로 의식을 돌리니 이미 낯익은 구역에 접어들어 있었다. 집 근처 역이다.

"어어, 여기서 좌회전 맞아."

"의외로 기억이 나는구나."

하시모토는 훗, 하고 우리 집으로 향하는 길을 거침없이 운전했다.

금세 집 앞에 도착했으므로 하시모토에게는 "잠깐 기다려."

라고 말한 뒤 집으로 향하는 계단을 달려 올라갔다.

현관문을 열려고 하는데 잠겨 있기에 열쇠로 따고 문을 열자 거실에 앉아 있는 아사미가 보였다.

"네가 있어 주었구나."

"문이 안 잠겨 있는데 아무도 없으면 곤란하잖아."

"고맙다."

"사유짱은… 뭐, 그 모습을 보니 못 찾았네."

아사미는 한숨을 쉬고 고개를 가로저었다.

"일단 나도 짚이는 곳에는 전부 가 봤어. 알바하는 데도 가 보고, 나와 사유짱만 아는 장소에도 가 봤어. 뭐, 그치만 없더라고."

"혹시 몰라 묻는데, 야구치는?"

"야구치는 아직 알바 중이야. 편의점에 가면 만날 수 있을걸."

"아냐, 일하고 있으면 됐어. 만에 하나 사유가 끌려갔다면 짚이는 건 거기뿐이라서."

"신뢰받지 못하는구나, 그 녀석. 하긴, 전과가 있으니까."

내게 당황한 어조로 메시지를 보낸 사람치고 아사미는 어딘지 침착한 태도이다.

"꽤 침착하네."

"내가 허둥대 봤자 별수 없잖아."

"뭐, 그건 그런데… 혹시 네가 숨겨 준 건 아니겠지?"

"그런 짓 안 해, 사유짱에게 도움이 안 되는걸."

가만히 아사미의 눈을 보았으나 거짓말을 하는 것 같지는 않았다.

"나는 좀 더 갈 만한 장소를 찾아보고 올게. …미안하지만."

"됐어, 어차피 집에 가 봤자 뒤숭숭할 뿐이야. 여기 있을게."

아사미는 눈치가 빨라서 내가 부탁하기도 전에 흔쾌히 승낙했다. 만약 사유가 돌아왔을 때를 대비하여 집에 누구 한 명은 사람이 있었으면 했다.

"그럼 잠깐 다녀올게."

"어어, 찾으면 좋겠다."

아사미는 그렇게 말하고 가볍게 손을 흔들었다.

현관문을 뛰쳐나와 다시 하시모토의 차로 돌아간다.

…어디 있는 거야, 사유.

어금니를 꽉 깨문 채 차에 올라타고 하시모토에게 짚이는 곳을 전부 말했다.

무슨 일이 있어도 찾아내야 한다고 생각한, 그런 타이밍에.

별안간 내 스마트폰이 울렸다.

수염을 깎다.
그리고 여고생을
줍다.

13화 공유

"그 두 사람, 어떻게 된 걸까."

다른 임원과 근처에서 대화하던 대표가 그 이야기를 마친 듯 천천히 내 데스크로 다가왔다.

그거라면 왠지 모르게 짐작이 갔으나 대표에게 전달할 만할 내용이 아니므로 나는 고개를 갸웃했다.

"무슨 일일까요… 뭐, 틀림없이 다른 급한 용무겠죠. 아무래도 몸이 안 좋은 것처럼은 보이지 않았으니까요."

"그렇지?"

대표는 여느 때의 태평한 어조로 동의했다. 화난 기색은 없지만, 원래 이 사람은 감정의 기복이 별로 표정에 드러나지 않는 타입이다. 속으로 그 두 사람을 어떤 식으로 재평가했는지는 모른다.

"평소에는 무척 성실하게 일하는 두 사람이니… 뭐, 무슨 피치 못할 사정이 있나 했어요. 제 쪽에서도 나중에 말해 둘 테니….”

“아아… 됐어, 됐어. 괜찮아.”

대표는 한 손을 들어 내 말을 가로막았다.

“그 두 사람이 몹시 우수하게 근무하고 있는 것은 나도 알거든. 그런 두 사람을 나중에 호되게 닦달했다가 회사를 관두기라도 하면 큰일이야.”

대표는 느긋한 말투로 말했다.

“일보다 중요한 게 있다면 먼저 처리해야지. 그들은 아직 더 일을 해 주어야 하니까.”

“…그러네요.”

나는 자연스럽게 미소를 지으며 말했다.

이런 대표 밑에 있기에 이 회사는 비교적 젊은 멤버만으로도 성장해 올 수 있었다고 생각한다. 내 직함도 연령으로 보나 성별로 보나 다른 회사 사람이 들으면 놀랄 때가 많다.

“그럼 이제 들어가 볼게. 고토 씨도 적당히 해.”

“저도 슬슬 들어갈까 해요. 수고 많으셨습니다.”

대표는 인사를 나누고 자신의 집무실로 돌아간다. 모습이 보이지 않을 때까지 지켜보고 나도 퇴근 준비를 시작한다.

정시도 가까워진 그 시간에 요시다가 그토록 낯빛이 변한 채 퇴근했다면 분명 사유에게 무슨 일이 있는 것이리라. 경우에 따라서는 무언가 도울 만한 일이 있을지도 모르니 회사를 나서면 연락을 해 볼까.

"수고 많았어요."

인사를 하고 정시가 조금 지나서 집무실을 나왔다.

일단 스마트폰을 확인하지만 요시다에게서 딱히 연락은 없었다.

이미 문제가 해결되었다면 다행이지만 아직이라면 뭔가 도울 수 있는 일이 없을까 생각한다.

우선 연락을 해 보는 것이 선결 과제라고 생각해서 회사 입구를 나서면 요시다에게 전화를 걸기로 했다.

바로 그 순간.

입구 정면에 본 적이 있는 여자아이가 서 있었다.

교복을 입은 사유가 그곳에 있었다.

"아, 고토 씨…."

"사유?"

나는 내 스마트폰과 사유를 번갈아 보다가 우선 스마트폰은 가방에 넣고 사유에게로 다가갔다.

"왜 이런 곳에?"

"저기, 요시다 씨는 아직 회사에 있나요?"

"…역시 못 만났구나."

"앗, 역시라니, 무슨 뜻이에요?"

나도 몹시 당황했지만 본인은 더 당황한 기색이었다.

"여기 온다는 거 요시다에게는 말했어?"

"일단 점심 때 전화는 해 봤는데 받지 않아서… 어차피 회사에 오면 만날 수 있을 테니까… 하고 무작정 와 버렸는데요, 저, 지하철을 타고 오는 도중에 휴대전화 배터리가 나가 버려서요."

거기까지 들으니 왠지 모르게 사태의 전말을 안 듯했다.

"일단 요시다한테 전화할게."

나는 한숨을 한 번 쉬고 사유에게 말했다.

"요시다는 한 시간도 더 전에 낯빛이 변해서 조퇴했어. 아마도 너와 연락이 되지 않아서 당황한 게 아닐까?"

"네?!"

사유가 외마디 소리를 지르며 놀라기에 나는 그만 실소하고 말았다.

"우선 잠깐 거기서 기다리고 있어."

나는 사유로부터 조금 떨어져서 요시다에게 전화를 걸었다.

[수고 많으십니다, 요시다입니다. 아까는 정말….]

"요시다, 사유 찾았어."

[네?!]

무심코 스마트폰을 귀에서 떼고 말았다. 놀라는 방식이 사유와 똑같아서 조금 재미있었다.

"회사 앞에 있더라. 어째 길이 엇갈렸나 보네."

[왜 회사 앞에….]

그것은 나도 좀 의문이었다.

"우선 이런 데서 기다리게 하면 불쌍하니 일단 우리 집에 데려갈게. 바깥은 쌀쌀하니까."

[네, 알겠습니다, 죄송합니다, 민폐를… 앗, 고토 씨 집에요?!]

또 스마트폰을 떼고 말았다. 스피커에서 하시모토의 웃음소리도 들려왔다. 아무래도 같이 있는 모양이다.

"우리 집은 회사에서 가깝거든. 나중에 주소 보낼 테니까 데리러 와."

[아, 네에…. 알겠습니다, 감사합니다.]

맥 빠진 목소리에 나는 절로 입꼬리가 올라갔다. 분명 안심한 것이리라.

"어차피 옷도 안 갈아입고 찾으러 다녔겠지. 일단 집에 들어가서 한숨 돌리고 편한 차림으로 데리러 와도 좋아."

[죄송합니다, 배려해 주셔서 감사합니다.]

"그럼 이따 봐."

나는 전화를 끊고 다시 사유를 마주했다.

"자, 그럼 요시다가 데리러 올 때까지 우리 집에 가 있을까?"

"앗, 하지만 그건… 민폐인데."

"정말 똑같은 말만 하는구나, 너희 두 사람."
나는 무심결에 실소했다.
"괜찮아, 우린 친구잖아?"
그렇게 말하고 사유의 손을 잡자 그녀는 뭐라 형언할 수 없는 표정을 짓고 한 번 고개를 끄덕였다.

*

"어, 그럼 이제 내일이면 홋카이도로 돌아가는 거야?"
요시다 씨를 만나러 회사에 간 나는 어째서인지 요시다 씨와 길이 엇갈렸고, 그 대신 고토 씨와 딱 마주쳐 어느 사이엔가 고토 씨 집에 와 있었다.
요시다와는 어때? 라는 고토 씨의 막연한 질문에, 나는 연락처를 교환한 사이이므로 그녀에게도 집에 돌아간다는 사실을 알려야 한다는 생각에 현재 상황을 고토 씨에게도 이야기한 것이다.
"…그럴 예정이에요. 그런 타이밍에 제가 없어진 것으로 오해했으니 요시다 씨가 당황할 만도 하죠…."
"자자, 그건 이제 신경 쓰지 않아도 되잖아. 아니… 뭐, 사과 한마디 정도는 하는 편이 좋을 것 같지만. 정말 당황했거든, 그 사람."

고토 씨의 말에 나는 더욱더 면목이 없었다.

연락이 되지 않으면 걱정하는 사람이 있음을 여러 번 경험했을 텐데도 오늘따라 경솔하게 연락 수단 없이 섣불리 외출해 버린 자신이 부끄러웠다.

"자, 핫 밀크."

고토 씨가 머그컵을 내 앞에 내려놓았다.

고토 씨 본인은 인스턴트 커피가 든 머그컵을 들고서 내가 앉은 소파 근처의 카펫 위에 앉았다.

"아, 이런, 소파는 됐어요. 제가 바닥에 앉을 테니…."

"손님을 바닥에 앉힐 순 없잖아. 괜찮아, 앉아."

고토 씨는 내 말에 정면으로 반대하듯이 바닥에 허벅지를 대고서 털썩 앉아 버렸다. 나도 이 이상 실랑이해 봤자 별수 없다는 생각에 반쯤 들었던 엉덩이를 다시 소파에 붙였다.

"…굉장히 푹신푹신하네요, 이 소파."

"그치~ 휴일 같은 날이면 나, 거기에서 움직이지 않아."

고토 씨는 그렇게 말하고 우스운 듯 웃었다.

"모처럼 왔으니까 편히 있다가 가."

"고맙습니다."

고토 씨의 말에 나는 조금 긴장이 풀린 것 같아 핫 밀크를 한 모금 마셨다. 몸이 내부에서부터 서서히 따뜻해져, 더욱 몸이 이완되는 느낌이다.

"요시다가 쓸쓸해지겠다."

고토 씨가 불쑥 말했다.

"네?"

내가 얼빠진 목소리로 되묻자 고토 씨는 코로 피식 하고 웃었다.

"사유가 돌아가 버리면 그럴 것 같다고. 집에 혼자 남게 되잖아."

고토 씨의 말에 나는 뭐라 형언할 수 없는 기분이 되어 그녀로부터 시선을 돌렸다.

"쓸쓸해…지려나요?"

"그야 그렇겠지. 매일 함께 있던 아이가 사라지는 건데."

고토 씨는 당연한 듯 말하지만 정말 그럴지 의문이었다.

"…사라져서 홀가분하거나 하지 않을까… 하고."

내가 중얼거리듯이 불쑥 그렇게 말하자 고토 씨는 장난스러운 표정으로 고개를 갸웃했다.

"…정말 그렇게 생각해?"

고토 씨의 시선이 내게 꽂혔다.

"요시다가 지금까지 취해 온 태도를 보고도 진짜 그렇게 생각한다면 그건 그것대로 문제이고, 반대로 진심이 아닌 소리를 한 거라면 성격이 조금 의심되는걸."

고토 씨의 그 말에는 어딘지 나를 타이르는 울림이 내포되어 있었다. 그러나 최대한 나를 비난하는 분위기가 되지 않도록 배려도 하고 있다.

정말 이 사람에게는 당할 수 없다고 생각했다.

"진짜 그렇게 생각하느냐고 묻는다면… 그런 건 아니에요. 요시다 씨는 아마… 쓸쓸해하지 않을까요… 하지만."

그 예감을 완전히 믿을 수 있는가 하면 그렇지는 않다.

"하지만, 조금… 불안해요."

"뭐가?"

"제가 돌아간 후… 요시다 씨가 저 같은 건 완전히 잊어버릴지도 모른다고 생각하면… 조금 불안하고, 슬퍼져요."

내가 그렇게 말하자 고토 씨는 눈을 몇 번 깜빡이더니 느닷없이 "풉." 웃기 시작했다.

"왜, 왜 웃는 거예요."

"아니, 미안, 그게 아니라."

고토 씨는 필사적으로 웃음을 멈추고 고개를 가로저었다.

"귀여워서."

"완전 거짓말."

"거짓말 아닌데."

고토 씨는 웃긴 듯 생글생글 입꼬리를 올린 채 강하게 부정했다.

"그런 식의 전혀 근거가 없는 불안은 어리기에 느끼는 거라고 생각해."

"아닌 것 같은데요."

"맞거든. 좋겠다, 어려서."

"정말, 놀리지 마세요!"

조금 큰 목소리로 항의하자 고토 씨는 더 깔깔 웃었다.

고토 씨의 웃음이 가라앉자 몇 분간 우리는 침묵했다.

인스턴트 커피의 그윽한 향이 집 안에 감돌고 있다.

"…그래서, 뭐 좀 깨달았어?"

고토 씨가 불현듯 입을 뗐다.

"…깨닫다뇨?"

내가 반문하자 고토 씨는 부드러운 표정으로 덧붙인다.

"가출을 해 보니 뭐 좀 깨달은 거 있었어? 라는 뜻."

"깨달은 것…."

나는 가출하고 나서 벌어진 일을 순서대로 되짚어 본다.

"날마다 밥이 나온다는 건 굉장한 일이라는 거라든지."

"응."

"잘 수 있는 집이 있다는 건 멋진 일이라는 거라든지."

"후후… 응."

"그리고… '여고생'이란, 브랜드라는 거라든지."

"…응."

"그리고…."

어느새 코맹맹이 소리가 되어 있었다. 또다시 울음을 터뜨릴 것 같은 자신을 발견하고 나는 필사적으로 눈물을 참았다.

"이 세상에는 변변찮은 어른뿐이고… 그래도… 그래도…."

노력했으나 역시 눈물은 흐르고 말았다.

"…그중에는 정말 다정한 사람도… 있다는 거라든지."

내가 울면서 거기까지 말하자 고토 씨는 바닥에서 일어나 내가 앉은 소파의 바로 옆자리로 나란히 옮겨 앉았다.

그러고는 내 손을 잡고 부드러운 목소리로 말했다.

"많은 걸 깨달았구나."

"…네."

내가 코를 훌쩍이며 대답하자 고토 씨는 테이블 위에 놓여 있던 티슈 상자를 집어 말없이 건네주었다.

"고맙습니다."

"아냐~"

고토 씨는 부드럽게 미소 짓고 내가 코를 푸는 동안 말없이 커피를 마시고 있었다.

"나도 있잖아."

고토 씨가 중얼거리듯 말했다.

"가출한 적이 있어."

어딘가 먼 곳을 보는 표정으로 고토 씨가 그렇게 말한다. 그녀의 옆얼굴을 보고 새삼스럽게 정말 예쁜 사람이라고 생각했다.

"사유와 똑같아. 고등학생 때, 오래 가출을 했었어."

"가족과… 사이가 좋지 않았나요?"

내가 묻자 고토 씨는 조용히 고개를 가로저었다.

"아니, 그런 건 아냐. 특별히 이유다운 이유는 없었는데 말이지. 어리기에 하는 고민이라고 할까… 뭐라고 할까, '내가 나로서 존재하는 의미란 무엇일까'와 같은 생각에 골몰했었어."

고토 씨의 그 말에는 어쩐지 나도 격하게 공감이 갔다. 나도 막 가출을 했을 무렵 그런 걸 머릿속으로 곰곰이 생각했던 기억이 있다.

"나 자신이 정말 시시한 인간처럼 느껴져서 뭔가 남들과는 다른 일을 해 보고 싶어졌어. 그래서 이상한 결심을 하고서 말이야, 집을 나온 거야."

고토 씨는 추억의 앨범을 펼치는 것처럼 부드러운 표정으로 어딘가 한 점을 응시한 채 드문드문 이야기하고 있었다. 틀림없이 그녀의 눈동자에는 당시의 풍경이 되살아나 있으리라.

"…그다지 짧지 않은 이야기인데, 들어 줄래?"

고토 씨가 시선을 들어 내 쪽을 보았다.

"…꼭 들려주세요."

나도 이미 많은 이야기를 고토 씨에게 했고, 단순히 그녀의 옛날이야기에 흥미도 있었다.

우유가 든 머그컵을 두 손으로 쥐고 나는 그녀의 이야기에 귀를 기울였다.

수염을 깎다.
그리고 여고생을
줍다.

14화
고등학생

고등학생 시절 나는 흐리멍덩하고 주체성도 없는, 참으로 못미더운 아이였다.

주체성이 없다는 의미에서는 지금도 크게 달라지지 않았는지도 모른다고 생각하지만, 그 시절의 나는 지금의 내가 봐도 대책이 없다 싶을 만큼 자신의 의견이라는 것을 갖고 있지 않았다.

누군가가 정해 준 것에 따르는 편이 마음 편하고 좋았으며 매사를 깊이 생각하기도 싫었다.

그런 성격이었기에 공부는 그럭저럭 좋은 성적을 유지했고, 동아리도 딱히 연습 같은 것에 매진할 필요 없는 '독서부'라는 문화 계열에 들어갔으며, 그나마도 유령 부원이었다.

그런 자신에게 고등학교 2학년 때까지는 아무런 의문도 느끼지 못했고 만족하고 있었다. 아니, 애초에 자신이 '만족하고 있는지 어떤지'조차 생각한 적이 없었던 것 같다.

그런 내가 자신의 삶에 의문을 품은 것은 고등학교 2학년 여름이었다.

내 친구 중에는 한 명, 나와 무척 사이가 좋은… 아니, 파장이 맞는 남자가 있었다. 그는 나와 달리 꽤 분명하게 의사를 표시하는 타입의 남자로, 반에서는 약간 고립된 감이 있으나 나는 그와 이야기하는 것이 좋았다.

대화 내용에 유머가 있어서 맞장구를 치기만 해도 무척 즐거웠다.

지금 생각하면 그렇게 친하게 지냈으면서 어째서 연애로 발전하지 않았는지 이상하긴 하지만, 나와 그 남자는 고등학교 1학년 때 알게 되어 그 후로 쭉 어중간한 친구 관계를 유지하고 있었다.

그런 그가 고등학교 2학년 여름에 자신의 진로를 내게 상담한 적이 있었다.

"실은 나, 내년에 유학을 갈까 생각 중이야."

그 말에 나는 어안이 벙벙해졌다.

유학이라는 단어가 너무 현실감 없이 내 머릿속을 빙글빙글 맴돌았다.

"해외에 가는 거야?"

"응. 해외에서 1년 동안 고등학교를 다니다가 그대로 대학도 해외에 있는 곳으로 가려고 해."

"호오… 그렇구나."

나는 너무나도 갑작스러운 그의 말에 적당히 맞장구를 치는 것이 고작이었다.

"멋지다, 괜찮은 것 같아, 유학."

내 반응에 몹시 기쁜 듯 그가 이렇게 말한 것이 기억난다.

"응원해 줄래?!"

나는 그때 처음으로 그 아이의 말에 호응하고 싶지 않았다.

그와 계속 어울릴 수 있었던 이유는 내게 전혀 주체성이 없는 것에 반해 그에게는 그것이 있었기 때문이라고 생각한다.

내가 화제를 제공하지 않아도 그는 나와 즐겁게 대화해 준다. 특별히 애를 쓰지 않아도 그 아이와 이야기하는 것은 즐거웠다. 그 아이와 자신의 차이를 나는 그 전에는 전혀 깊이 생각해 본 적이 없었던 것이다.

그 결과 나는 갑자기 그에게 버림받은 기분이 되었다.

그는 무척 훌륭해 보였고, 그에 비해 나는 뭘까, 하는 생각이 들었다.

스스로 무언가를 결정한 적 없이 누군가가 시키는 대로만 하고.

그런 자신이 불현듯 부끄러운 존재처럼 느껴졌다.

그래서 나는 느닷없이 발 빠르게 '그래, 내 힘으로 가출을 해 보자'라고 결심했다.

지금 생각하면 정말 어리석었다.

부모님에게는 '친구네 집에서 잘게'라고 말하고 돌려 입을 수 있는 겉옷과 속옷을 몇 가지 챙겨서 나는 집을 나왔다.

그런 무계획적인 가출이 순조로울 리 없어서, 첫날부터 배가 고프면 군것질을 해 가며 길거리를 이리저리 헤매는 고행이 시작되었다. 처음에는 조금 설레는 마음도 있었으나, 쉽게 질리는 편인 데다 근성도 없었던 나는 금방 그 비일상적인 상황에도 익숙해져서 지친 다리와 같은 힘든 부분에만 의식을 기울이게 되었다.

밤이 되자 완전히 녹초가 되어 버려, 나는 거리의 혼잡 속에서 인도의 가드레일에 기댄 채 그저 멍하니 서 있을 뿐이었다.

그만 집에 돌아갈까 생각하던 때, 갑자기 누군가가 말을 걸었다.

"너 혼자야? 귀엽다."

헌팅이었다. 나는 나보다 확실히 연상으로 보이는 세 남성에게 둘러싸이는 형태가 되었다. 세 사람의 시선이 흘끗흘끗 내 가슴에 떨어지는 것이 느껴져서 기분 나빴다.

말없이 자리를 뜨려는데 셋 중 하나에게 단단히 팔을 붙들렸다. 힘이 세서 비명을 지를 뻔했으나 참았다.

"도망가지 않아도 돼. 같이 놀자."

만화에서 본 적이 있는 노골적인 작업 멘트에 더욱 기분이 불쾌해졌다. 그렇지만 나보다 몸집이 좋은 남성에게 붙들려 있는 상황은 견딜 수 없이 무서웠다.

거절하고 싶어도 할 수가 없고 목소리도 나오지 않는 상황이 되었을 때, 그 사람이 나타났다.

"메구미, 뭐 하고 있어. 통금 시간 지났잖아."

내 뒤에서 나타난 정장 차림의 남성이 내 어깨를 쳤다.

모르는 남자였다.

"네 엄마 화났다. 얼른 들어가야지."

"아, 으응… 그치만."

아무래도 나를 도와주려는 모양임을 알아차리고 간신히 목소리를 쥐어짜자 정장 차림의 남성은 세 남자를 쏘아보며 말했다.

"제 딸에게 무슨 볼일 있습니까?"

"아, 아뇨… 아버님이세요?"

"가자."

역시나 눈에 띄게 동요하며 세 사람은 물러갔다.

정장 차림의 남성은 세 사람이 물러가는 모습을 지켜보고 내게 시선을 주었다.

"저런 놈들은 확실히 거절하지 않으면 안 돼. 그럼 난 이만."

그 말만 하고 떠나려 한 정장 차림의 남성을 나는 왠지 모르게 불러 세우고 말았다.

"저기요!"

돌아본 그는 조금 성가신 듯 "왜 그러니?"라고 말했다.

그때 어떻게 내게 그런 용기가 있었는지 지금도 의문이지만.

나는 그때 그 남성을 향해 이렇게 말했다.

"돌아갈 집이… 없어서요."

*

처음에는 대놓고 귀찮은 내색을 했으나 그 남성은 생각보다 선뜻 "그럼 뭐, 일단 우리 집에 오렴." 하고 말해 주었다.

이름은 묻지 '스즈키'라는 성만 가르쳐 주었다.

스즈키 씨는 학생들 사이에서는 유명한 개인 학원의 원장으로 아내와 초등학교 2학년인 아이가 있었다.

처음 스즈키 씨의 집에 들어갔을 때 그의 아내는 몹시 놀라 스즈키 씨와도 말다툼을 했으나, 스즈키 씨는 '상황이 나아질 때까지는 있게 해 주지'라며 아내를 설득해 주었다.

지금 생각하면 터무니없는 리스크를 짊어진 셈이지만, 그 시절의 나는 깊이 생각하지 않고 '좋은 사람이 나를 거두어 주었구나'라는 식으로 여겼다.

나는 그 집에서 태평하게 한 달쯤 지냈다.

스즈키 씨의 아내는 무척 좋은 사람으로, 함께 요리를 하거나 집안일을 돕거나 하면 몹시 즐거웠다. 초등학교 2학년인 남자아이도 나를 잘 따라서 함께 놀거나 목욕하면서 친하게 지냈다.

나는 외동인 데다 어머니와 아버지 모두 일로 바빴던 터라 그런 일들을 별로 경험한 적도 없었기에 정말 보람찬 한 달이었다.

다만 내 어리석은 점은 당시 스즈키 씨를 사랑하고 말았다는 것이다.

무엇이 계기였는지는 기억나지 않는다. 아예 처음 만났을 때 비일상적인 상황이 그런 감정을 낳았는지도 모른다.

스즈키 씨는 매우 핸섬하고 유머가 넘치며 무척 자상했다. 인간성에 흠잡을 데가 없어서 학원생들에게도 몹시 인기가 있다는 말을 그의 아내에게 들었다.

나는 그와 함께 사는 한 달 동안 점점 그를 좋아하게 되었다.

하지만 그는 결혼하여 자식도 있다. 스즈키 씨와 그의 아내가 무척 사이좋은 것은 알고 있었고, 밤중에 몇 번 눈을 떴을 때 '그런 것을 하는' 소리가 들려온 적도 있다.

스즈키 씨를 향한 마음은 부풀어 갔으나, 나는 스즈키 씨의 아내도 정말 좋아했기에 입이 찢어져도 그에 대한 마음을 털어놓을 수 없을 거라고 생각했다. 첫사랑의 열량을 밖으로 드러내지 않고 억누르려니 무척 괴로웠다.

그리고 한 달이 지났을 무렵 상황은 급변했다.

밤중에 잠에서 깨어 내가 묵던 방을 나와 거실 옆 화장실로 향했을 때. 거실 안에서 스즈키 씨와 아내의 목소리가 들려왔다.

"…묘한 소문이 돌고 있잖아. 마냥 이대로 둘 수는 없다고 생각해."

"알고 있지만, 그렇다고 갑자기 내쫓을 수도 없잖아."

"조만간 이야기를 해서 집에 돌려보내는 방향으로 하지 않으면… 우리 인생까지 망가져 버릴지도 몰라. 수색원까지 접수되어 있으니까."

둘의 대화를 듣고 나는 황급히 내 방으로 돌아왔다.

오락거리로 빌린 노트북을 열어 내 이름에 '수색원'을 추가해 검색하니 얼굴 사진이 첨부된 수색원이 접수되어 있었다.

나는 갑자기 무서워졌다.

묘한 소문이라는 것도 어쩌면 '스즈키 씨가 여고생을 집에 데려왔다'라는 내용인지도 모른다. 한번 생각하기 시작하면 나쁜 상상이란 멈추지 않게 된다.

비범함을 찾아 가출했을 텐데 어느새 스즈키 씨의 집에서 제공되는 '평온함'에 완전히 만족하고 있는 자신을 발견하고 부끄러워졌다.

이대로 여기 있으면 정말 스즈키 씨 부부의 인생을 파괴할지도 모른다고 생각한 나는, 그날 아침 일찍 방 안에 쪽지를 남겨 두고 스즈키 씨 집을 나왔다.

*

"집에 돌아와서 엄청 혼났어. 내 인생에서 그렇게 혼난 적은 그때 한 번뿐이야."

고토 씨는 웃으면서 말했다.

"한 달 동안 밖에서 알게 된 친절한 여자의 집에 있었다고 했더니 그것도 어찌나 의심하던지… 믿음을 얻기까지 꽤 시간이 걸렸어. …하긴, 믿을 것도 없이 다 거짓말이지만. 실제로 부모님이 그 거짓말을 믿어 주었는지 어떤지도 의문이고."

고토 씨는 거기까지 말하고 깊이 한숨을 쉬었다.

"…그러니까 즉, 나도 사유만큼 오래는 아니지만 고등학생 때 가출을 했었어."

고토 씨가 시선을 내 쪽으로 옮겨 나를 물끄러미 바라보았다.

"게다가 사랑도 이루어지지 않고 자발성이 생긴 것도 아니고… '나는 아무것도 할 수 없다'라는 것만 배우고 돌아왔지."

그렇게 말하는 그녀의 눈에는 확실히 어두운 색을 띤 감정이 떠올라 있어 나는 가슴이 옥죄이는 듯했다.

"원하는 것은 손에 들어오지 않는다. 나는 자신이 할 수 있는 것만 하며 살아가야 한다… 라고 생각하게 되었어. 그때부터."

"그랬…군요."

내가 심각하게 맞장구치자, 고토 씨는 그 분위기를 타파하듯 밝은 목소리를 냈다.

"뭐, 하지만 내가 생각하기에도 그 후로는 조금 어른이 된 것 같기는 해. 그 전에 비하면 꽤 사려 깊어졌어."

그렇게 말하고 고토 씨는 미소 지으며 커피를 한 모금 마셨다.

“하지만… 그와 동시에 무척 비굴해지고 겁쟁이가 되었지.”

그렇게 덧붙이고 고토 씨는 또다시 먼 곳을 쳐다보는 눈을 한다.

무언가 말을 걸까 말까 망설이는 사이, 불현듯 고토 씨가 시선을 들어 내 시선과 그녀의 시선이 교차했다.

“사유도 분명 집에 돌아가면 깨닫는 게 있을 거야. 고등학생 여자아이가 이런 대모험을 했는걸. 반드시… 뭔가 바뀔 거야.”

고토 씨는 내 눈을 지그시 바라보며 말했다.

“고등학생이라는 건 그만큼 특별한 거라고 생각해. 좋은 의미에서든… 나쁜 의미에서든.”

고토 씨는 그렇게 말하고 내 손을 잡았다.

“나도 ‘고등학생’이란 번거롭다고… 가출한 뒤로 줄곧 생각했었어. 어서 어른이 되고 싶다고… 생각했지.”

고토 씨의 말에 나는 속으로 동감했다.

나는 ‘고등학생’이라는 신분에 실컷 휘둘린 느낌이다. 반짝이는 고등학생들과 어우러지지 못하고, 처음 사귄 친구를 잃고, 도망친 곳에서는 ‘고등학생’이라는 브랜드를 활용하고… 그렇지만 나는 고등학생이기에 혼자서는 살 수 없다.

그런 것을 생각하는데 내 손 위에 포개어진 고토 씨의 손에 서서히 힘이 깃들었다. 의식이 그녀의 이야기로 돌아온다.

"하지만 그건 네 인생에서 무척 중요한 것이고, 버리면 안 되는 사실이야."

고토 씨는 내 눈을 바라본 채로 천천히 그렇게 말했다. 그 눈동자는 정말 중요한 말을 누군가에게 전할 때와도 같은, 절실한 열기를 지닌 것이었다.

"괜찮아, 지금의 네게는 어엿한 네 편이 있잖아."

고토 씨의 말이 내 가슴에 슬며시 침투해 오는 것을 느꼈다.

내게는 내 편이 있다.

"각오를 다지는 건 무섭지만… 그래도 역시 넌 반드시 돌아가야 돼."

고토 씨의 시선과 내 시선이 서로 교차하고, 차츰 그녀의 말이 지닌 열기가 높아지면서 내 심장을 때렸다.

"반드시… 고등학생으로 돌아가야 돼."

정신을 차려 보니 눈물이 흐르고 있었다. 왜 눈물이 나는지 바로는 알 수 없었다.

슬프기 때문은 아니다.

이건, 그렇다. 분명 기뻤기 때문이다.

"저요…."

눈물이 뺨 위로 주룩주룩 흐르는 것을 느끼면서 나는 말했다.

"…아직 틀림없이 고등학생인 거죠?"

"응."

"고등학생, 맞는 거죠…."

"맞지, 그럼."

고토 씨가 부드럽게 나를 끌어안아 주었다.

이느새 나는 소리 높여 울고 있었다.

*

"어머나, 생각보다 빨리 왔네."

"서둘러 왔거든요."

"차를 몬 사람은 나지만 말이야…."

고토 씨 집에 도착하자 실내복 차림의 고토 씨와 교복 차림의 사유가 나와 하시모토를 마중 나왔다.

사유가 보이자마자 나는 일단 안도했고 그 후 화가 치밀었다.

"너, 어째서 회사에…!"

"요시다의 회사를 보고 싶었고, 그 김에 함께 귀가해 보고 싶었대."

내 말을 가로막고 고토 씨가 말했다.

"뭐?"

"그러니까 함께 귀가하고 싶었대."

"사유가? 저랑요?"

내가 되묻자 고토 씨 옆의 사유는 얼굴을 살짝 붉히고서 고개를 한 번 끄덕였다. 그리고 그 후 고개를 숙였다.

"연락이 되지 않아서 미안해. 스마트폰 배터리가 다 닳아 버렸어."

"…하아, 뭐… 괜찮긴 한데…."

힘이 쭉 빠져서 나는 고토 씨가 보는 앞인데도 그 자리에 쭈그려 앉고 말았다. 옆의 하시모토가 껄껄 웃는다.

"네가 사유구나, 요시다에게 얘기는 계속 들었어."

하시모토가 사유에게 인사를 건네자 사유도 까딱 인사하고 "저도 요시다 씨에게 들었어요."라고 대답했다.

"듣던 것보다 훨씬 귀엽네."

"어이, 이상한 소리 하지 마."

"별로 이상한 소리도 아닐 텐데."

너스레를 떨던 하시모토가 갑자기 내 등을 퍽 때렸다.

"그런데 그 이야기는? 지금 하는 편이 좋을 것 같은데."

하시모토의 재촉에 나는 한숨을 한 번 쉬고 고개를 들었다.

"고토 씨."

"응?"

고토 씨를 가만히 바라보며 해야 할 말을 정리한다.

그리고 나는 천천히 말했다.

"사흘만 유급휴가를 내도… 될까요?"

내 말에 고토 씨는 순간 당황했으나 이내 감을 잡은 표정을 지었다.

“…혹시 내일부터 사흘이라고 말할 셈은 아니겠지.”

고토 씨가 눈을 흘기며 나를 보았으나 그 짐작은 맞았다.

“…어려운 건 알고 있지만, 그래도.”

“하아….”

고토 씨는 노골적으로 한숨을 쉬어 내 말을 가로막았다.

유급휴가란 전일이나 당일에 신청할 수 있는 것이 아니다. 우리 회사에서는 한 달 전이나, 늦어도 몇 주 전에는 신청하도록 되어 있다. 그걸 알면서도 나는 무리하게 부탁하고 있는 것이다.

그녀는 시선을 바닥에 떨군 채 관자놀이를 누르듯이 몇 번인가 오른손으로 자신의 머리를 어루만졌다.

이어서 불쑥 고개를 드는가 싶더니 그녀는 장난스러운 미소를 지었다.

“뭐, 안 될 건 없지 않겠어? 전에 이미 들었는데 내가 깜박하고 있었다~ 라는 것으로 해 줄 수도 있어.”

“저, 정말인가요?!”

“다~만~”

고토 씨의 얼굴이 내게로 훅 다가와서 나는 흠칫 놀랐다.

“돌아오면 맛있는 고기 정도는 사 주겠지?”

“하….”

맥이 빠진 듯 목구멍에서 한숨이 새어 나왔다.

"그야, 물론…."

"그럼 결정된 거다, 어떻게든 해 둘게. 요시다 몫의 업무는 하시모토에게 맡겨도 되는 건가?"

내가 대답하자 고토 씨는 척척 이야기를 진행해 나간다.

"뭐, 제가 하겠는데요, 혼자서는 버거우니 엔도와든 코이케와든 적당히 나누겠습니다. 또 미시마와도."

"알았어. 뭐, 진행에 지장이 없으면 어떻게 하든 상관없어."

고토 씨는 승낙하고 내 어깨를 찰싹 때렸다.

"그렇게 되었으니 요시다는 착실히…."

고토 씨는 거기서 말을 끊고 별안간 쭉, 하고 자신의 입가로 내 귀를 끌어당겼다.

"마지막까지 사유를 돕고 와."

귓가에 속삭이는 그 말에 온몸에 소름이 돋는 것을 느꼈다.

하지만 그 내용은 내겐 정말 기쁜 것이었다.

"…네, 잘 하고 오겠습니다."

내가 대답하자 고토 씨는 생긋 웃고서 사유의 등을 떠밀었다.

"그럼 데리러 왔으니 요시다와 함께 돌아가렴."

"…감사했습니다."

깊숙이 고개 숙여 인사하는 사유의 머리를 고토 씨는 부드러운 손길로 쓰다듬는다.

"언젠가 또 함께 이야기하자."

고토 씨의 그 음성은 무척 상냥하여 사유는 눈물을 글썽이면서 "네." 하고 대답했다,

"그럼, 수고 많으셨습니다."

하시모토가 고토 씨에게 고개 숙여 인사하자 고토 씨는 한 손을 들고 소탈하게 흔들었다.

나도 가볍게 목례하고 사유를 뒷좌석에 앉힌 뒤 조수석에 올라탄다.

하시모토가 차를 출발시키자 우리를 향해 손을 흔드는 고토 씨가 백미러에 비쳐 있었다.

"집으로 데려다주면 되는 거지?"

하시모토가 확인하듯 묻기에 나는 대답했다.

"어어… 정말 고생 많았어. 고맙다."

"괜찮아. 나한테도 다음에 라면 정도는 사 줄 거지?"

"당연하지."

"토핑 다 올린다."

"면도 곱빼기로 해도 돼."

그렇게 말하고 둘이서 웃었다.

사유는 뒷좌석에서 조금 불편한 기색으로 앉아 있었으나 몇 분 지나자 지쳐 버린 듯 눈을 감고서 꾸벅꾸벅 졸기 시작했다.

"정말 평범한 아이네."

"…으응."

하시모토가 불쑥 말해서 나도 가만히 동의했다.

몇 초 침묵한 뒤 하시모토가 말한다.

"…잘 하고 와."

하시모토는 타인에게 잘 하라고 격려하지 않는 타입이다. 그런데도 이번만큼은 애써 그렇게 말해 준 것이리라.

나는 가슴속에 뜨거운 것이 복받쳐 오르는 것을 느끼며 힘차게 대답했다.

"으응."

그 후로는 우리 집에 도착할 때까지 차 안의 모두가 말이 없었다.

15화 약속

"아, 찾았어? 다행이다…."

집에 돌아오자 아사미가 뛰쳐나와 사유를 얼싸안았다.

"되~~게 걱정시키네."

"미안… 고마워."

아사미와 사유의 애틋한 상봉을 아랑곳하지 않고 나는 냉큼 거실로 들어가서 지갑이나 휴대전화 따위를 옷 주머니에서 꺼냈다.

"아사미, 집에 남아 있어 줘서 고마워."

"뭐, 식은 죽 먹기인걸."

아사미는 씩 웃고 엄지손가락을 치켜세웠다.

"그치만 슬슬 돌아가지 않으면 집 앞의 문이 완전히 열리지 않게 돼서 내쫓기는 신세가 될 테니, 서둘러 돌아가야겠어!"

아사미는 그렇게 말하고 허겁지겁 거실로 돌아가서 탁상 위에 펼쳐 둔 참고서를 숄더백에 넣고 다시 현관으로 후닥닥 달려갔다.

"그럼 쉬어~! 또 봐!"

"잠깐만!"

평소와 같은 기세로 집에 돌아가려는 아사미를 사유는 여느 때보다 큰 소리로 불러 세웠다.

"왜 그래?"

아사미는 눈을 동그랗게 뜨고 사유를 보았다. 조금 작위적이라고 생각했다. 분명 아사미는 알면서도 이러는 것이다.

"저기 있잖아… 나, 내일이면 집에 돌아가니까… 그게."

사유는 머뭇머뭇, 표현을 고르듯이 시선을 바닥에 떨구고 있었다.

"그게… 아사미에게는 굉장히 신세를 져서… 그래서… 고마."

"사유짱!!"

"으응!!"

갑작스러운 큰 목소리에 사유는 뛸 듯이 놀라며 대답했다.

아사미는 씩 웃고 가만히 사유의 손을 잡았다.

"또 만날 수 있지?"

아사미는 감상에 젖은 기색도 없이 그렇게 말했다.

"연락처도 교환했고, 앞으로도 인생은 계속되고… 뭐, 그런 느낌이야. 그러니까, 글쎄….”

아사미는 허공에서 시선을 헤맨 후 씨익 입꼬리를 올렸다.

“고맙다는 쑥스러운 소리는 말이야… 다음에 만날 때 하면 돼.”

아사미의 그 말에 나는 그녀 나름의 다정함을 느끼고 가슴이 따뜻해졌다.

사유도 같은 느낌인 듯 훌쩍, 하고 코를 들이켠 후에.

“응!”

하고 힘차게 대답했다.

“그럼….”

사유와 아사미가 시선을 교환하고.

“또 보자.”

라고 동시에 말했다.

*

“불 끈다.”

“응.”

둘 다 잘 준비를 마치고 나는 침대, 사유는 이부자리 위에 앉아 있었다.

나는 거실 불을 끄고 내 침대로 돌아왔다.

침대 속으로 파고드니 왠지 평소보다 심란한 자신이 있음을 깨달았다.

원인은 뻔히 알고 있다.

오늘이 이 집에서 사유와 보내는 마지막 밤이기 때문이다.

내일 이곳을 나가면 이제 사유가 이곳에 돌아오는 일은 없으리라.

사유가 나를 깨우는 일도 없다. 일어나면 아침밥이 준비되어 있지도, 셔츠의 주름이 펴져 있지도 않다.

또 혼자인 생활로 돌아가는 것이다.

말로 표현하면 간단히 알 수 있는 일인데 좀처럼 실감이 나지 않는다.

내일 사유는 홋카이도로 돌아간다.

"요시다 씨."

이부자리 쪽에서 사유의 목소리가 들려 나는 내 의식이 현실로 돌아오는 것을 느꼈다.

"뭐야."

묻자 몇 초간 침묵이 있었다.

"사유?"

또 한 번 묻자 이부자리 쪽에서 나직이 사유가 뒤척이는 소리가 들렸다.

"…그쪽으로 가도 돼?"

그녀의 그 말에 내 사고는 순간 정지했다.

몇 달을 같은 집에서 지냈으니 사유가 그런 말을 한 적은 처음이었기 때문이다.

"…상관없지만, 왜 그러는데."

"뭐 어때, 마지막쯤은… 특별히 덮치거나 하지 않잖아, 요시다 씨는."

"뭐… 그야 그렇지만…."

내가 된다고도 안 된다고도 하지 않고 애매하게 받아치자 사유가 이부자리에서 기어 나와 정말 내 침대로 들어왔다.

"좀 더 그쪽으로 붙어."

"아, 으응…."

내 왼쪽에 사유가 누워 푹 숨을 내쉬었다. 평소보다 훨씬 가까이에서 사유의 숨소리가 들린다.

"…계속 함께 살았지만 이렇게 가까이에서 자는 건 처음이네."

사유가 말했다.

"그러네."

내가 대답하자 사유는 갑자기 쿡쿡 웃기 시작했다.

"뭐야."

"아니, 이상한 것 같아서."

"뭐가."

내가 묻자 사유가 몸을 돌려 내 눈을 보았다.

슬슬 어둠에 눈이 익숙해졌을 무렵이라 사유의 얼굴이 정말 가까이에서 보였다.

"다른 사람 집에 머물 때에는 며칠 안이나 그날 중으로는 더 가까이에서 잤던 것 같아서. 아예 포개져서 말이야."

"뭐, 뭐야, 갑자기 적나라한 이야기를 하고. 그놈들은 이제 잊으라고 했잖아."

내가 그렇게 말하면서 사유로부터 거리를 두듯 벽 쪽으로 이동하자 사유는 깔깔 웃었다.

"떨어지지 마, 이상한 짓 안 하니까. 하면 내쫓기고 마는걸."

"아무렴, 내일을 기다리지 않고 내쫓아 줄 거야."

"그건 곤란한데."

사유는 또 한 번 쿡쿡 웃고 내가 거리를 벌린 만큼 몸을 뒤척여 내게 다가왔다. 그대로 내 가슴에 얼굴을 파묻다시피 하고 나를 부둥켜안았다.

"이, 이봐…."

"잠시만."

사유가 말한다.

"잠시만 이러고 있게 해 줘…."

몸이 밀착되어 사유의 몸이 조금 떨리는 것을 알 수 있었다.

"…왜 그래?"

내가 묻자 사유는 내 가슴에 얼굴을 묻은 채 정말 작은 목소리로 말했다.

"역시… 무섭다."

"…그렇구나."

"이토록 다정한 공간에서 나가는 거, 무서워."

"…그렇겠다."

갑자기 거리를 좁혀 와서 놀랐지만 내 품속에 있는 사유는 역시 그냥 어린아이였다.

가까스로 안정된 환경이 또 바뀌려고 하자 당황하고, 겁에 질렸다.

"요시다 씨가."

사유가 불쑥 말했다.

"요시다 씨가 내 아버지였으면 나, 더 제대로 자랐으려나."

그 말에 나는 가슴이 바짝 옥죄여 오는 통증을 느꼈다.

사유나 잇사의 이야기를 들으면서 여러 번 했던 생각이다. 내가 이 녀석의 보호자라면 분명 더 소중히 대할 텐데, 라고 수없이 생각했다.

그렇지만.

"나는… 네 아버지가 아냐."

가슴의 통증을 참으면서 그렇게 대답하자 나를 끌어안는 사유의 힘이 조금 강해졌다. 그리고 품속에서,

"응, 알고 있어."

라고 사유가 대답했다.

나도 사유의 등에 쭈뼛쭈뼛 손을 둘렀다. 그리고 가만히 끌어안는다.

"나는 역시, 네 한때의 거처일 뿐이야."

"응… 자상하고 따뜻하고, 최고의 거처였어."

"…그랬다면 다행이네."

사유를 끌어안는 팔에 조금 더 힘을 주고서 나는 말했다.

"최고의 거처인 만큼 마지막에 약간의 서비스야."

"…뭐?"

품속의 사유가 슬그머니 고개를 움직여 내 얼굴을 보았다.

나는 사유와 정면에서 시선을 교환하며 말했다.

"네 어머니를 함께 만나러 가 줄게."

"…어?"

"혼자서는 무섭잖아. 마지막까지 챙겨 줄게."

"앗, 그럼, 그럼 아까 말한 유급휴가란 게…."

나는 고개를 끄덕였다.

"너를 위해서 냈어. 몰랐어?"

이야기의 흐름상 눈치채도 좋았을 법한데 사유는 전혀 눈치

채지 못한 듯하다.

여러 번 내 눈을 보고 피하고를 되풀이한 뒤 다시 한번 박치기라도 하듯 내 품에 얼굴을 묻었다.

"으억!"

막무가내로 내 가슴팍에 머리를 밀어붙이는 사유.

굉장히 아팠으나 사유가 기뻐하고 있다는 것만큼은 왠지 모르게 알았다.

불현듯 움직임을 멈춘 사유가 나직이 말했다.

"…요시다 씨, 고마워."

그 말만으로도 나는 가슴속이 묘하게 채워진 기분이었다.

"…천만에."

나도 얼버무리지 않고 그렇게 대답했다.

어느 사이엔가 사유는 나를 끌어안은 채 새근새근 잠들어 있었다. 연일 고민하는 날이 이어져 지쳤을 것이다.

나는 슬그머니 내게서 사유를 떼어 내 똑바로 눕히고 이불을 덮어 주었다.

이어서 조금 거리를 두고 나도 똑바로 눕는다.

내일, 사유는 이곳을 나간다.

그리고 한 번은 도망쳐 왔던 과거와 마주하고 미래를 생각해야 한다.

나는 맨 처음 이렇게 말했다.

‘너의 어리광쟁이 근성이 나아질 때까지는 있게 해 주지.’

나의 그 말에 어긋나지 않도록 마지막까지 내가 할 수 있는 일을 해 주자.

그렇게까지 해야 비로소.

아재와 여고생의 기묘한 공동생활은 진정한 의미에서 끝을 맞는 거라고 생각한다.

수염을 깎다. 그리고 여고생을 줍다. 4권 마침

수염을 깎다.
그리고 여고생을
줍다.

작가 후기

처음 뵙겠습니다. 시메사바라고 합니다.

소소하게 인터넷에 글을 쓰던 사람입니다. 어느새 네 번째 책을 펴낼 수 있게 되어 이제 벌벌 떨면서 후기 쓰는 것은 관두고 싶은 마음입니다. 관두지 못하고 있지만.

3권을 펴냈을 때는 후기에서 2018년 여름 이야기를 했던 것 같은데, 이 책이 출간되는 시점도 때마침 여름. 따져 보면 3권 후기의 내용에서 2년이 지난 여름인 셈입니다.

그동안 저는 본가에서 이사하여 현재는 방 두 칸짜리 맨션을 얻어 살고 있습니다.

방 두 칸짜리 집이므로 거실까지 포함하면 공간은 총 세 개인데, 각각의 위치와 구조를 고려하여 그중 한 곳은 제 컴퓨터실(작업실이라고도 할 수 있습니다)로 꾸몄습니다.

이사한 시점은 2019년 겨울. 추운 시기였으나 2019년 겨울은

(제가 사는 지역은) 그리 춥지 않았으므로 옷을 껴입어도 실내가 추울 때에는 팬히터를 트는… 그런 정도의 방한 대책으로 어떻게든 겨울을 날 수 있었습니다.

이런저런 일들로 이사 당시에는 '어떤 사실'을 알아차리지 못한 채 '아아, 쾌적하다, 쾌적하다' 하면서 새집을 만끽하다가 어느덧 반년이 지났습니다.

그 '어떤 사실'이란… 눈치가 빠르신 분은 알아차렸을 텐데, 그렇습니다.

제 컴퓨터실에는 '또' 에어컨이 없었던 것입니다.

이 학습 능력 제로 같으니.

저는 또 에어컨이 없는 채로 2020년 여름에 돌입하려는 참입니다.

그도 그럴 것이.

본가에 있을 때는 에어컨을 '사지 않았을' 뿐 달 수 없는 건 아니었습니다.

그런데 지금 있는 집은 놀랍게도 에어컨 배열 덕트가 지나갈 구멍조차 뚫려 있지 않아서(그런데 불가사의하게도 에어컨용 콘센트만큼은 방 천장에 있단 말이죠… 어떻게 된 거지?) 에어컨을 사고 싶어도 벽에 구멍을 뚫어도 되는지 어떤지 관리회사에 문의해야 하고… 그런 이유로 에어컨 도입이 꽤 뒤로 미루어지고 있습니다.

지금은 야간에는 책상 바로 옆에 있는 창문을 열어서 어떻게든 더위를 달랠 수 있지만 밤이 되어도 무더운 시기에 돌입하면 정말로 참기 힘들어질 것 같은 예감이 듭니다.

이 후기를 쓰는 지금은 대략 장마철인데, 여러분의 손에 이 책이 들릴 무렵 제 집에는 에어컨이 있을까요…?

있으면 좋겠네요.

그럼, 다른 이야기로 넘어가서.

코로나19로 세상의 풍경은 사뭇 달라지고 말았습니다.

가까운 분이나 유명한 사람이 돌아가신다든지. 경제가 마비 상태라든지. 좋아하던 가게가 문을 닫아 버렸다든지….

슬픈 뉴스만 나오고, 몸을 사리는 기간이 길어져서 숨도 막히고, 울적한 분위기가 만연한 것을 저도 느꼈습니다.

그런데 몸을 사리는 일에 모두가 점점 익숙해지다 보니 도리어 '지금까지는 너무 열심히 일했지'라거나 '집에 있다 보니 새로운 취미가 늘었다'라는 긍정적인 사고도 드문드문 눈에 띄게 되었습니다.

세상의 분위기가 바뀌어 버릴 만큼 큰 사건이란 인생 속에서 몇 번이나 일어날지 미리 알 수가 없습니다.

앞으로도 여러 번 일어날지 모르고 어쩌면 이번이 끝일지도 모릅니다.

그러므로 각자 나는 이 기간에 무엇을 할 수 있을까… 어떤 일을 하면 멋질까… 등을 생각하면서 즐겁게, 자신에게 있어 유의미한 시간을 발견했으면 합니다.

나중에 돌이켜 보았을 때 그 힘들었던 시기 중에 뭔가 하나라도 보물을 발견한 듯한 느낌이 든다면 그것은 인생에서 정말 둘도 없는 추억이 되지 않을까요.

실은 후기에서 시사적인 화제를 언급하는 일은 피하고 싶었으나 저도 '그때 그런 일이 있었다'라는 것을 자신의 작품과 함께 기록해 두고 싶었기에 이렇게 적어 보았습니다.

이 말이 누군가의 마음에 남아 언젠가 이 책과 함께 떠오른다면 그것은 굉장히 행복한 일일 것 같습니다.

여기서부터는 감사 인사입니다.

우선은 이번 집필 작업에 도움을 주신 두 편집자께 감사 인사를 전하려고 합니다. 편집자 S 씨, 편집자 K 씨, 감사했습니다.

S 씨는 웃는 모습이 무척 근사한 동시에 무서웠으므로 그 양면성 있는 모습 덕분에 어떻게든 작업을 진행할 수 있었습니다. 또 함께 일할 기회가 있으면 좋겠습니다.

K 씨는 항상 긍정적이셔서 제 정신이 죽어 버려도 저를 밝게 지탱해 주셨습니다. 감사합니다. 앞으로도 잘 부탁드립니다.

다음으로 갑작스럽게 표지 일러스트, 그리고 삽화를 담당해 주신 아다치 이마루 씨, 정말 감사했습니다. 만화 작업으로 늘 바쁘신 가운데 틈틈이 이쪽 삽화까지 맡아 주셔서 정말로 고개를 들 수가 없습니다. 고토 씨의 (고등학생 시절) 일러스트가 완성되었을 때는 가볍게 덩실거렸습니다.

캐릭터 원안을 그려 주신 부―타 씨, 늘 정말 감사합니다. 당신이 생명을 불어넣어 주신 덕분에 요시다와 사유, 그리고 다른 캐릭터들이 많은 분의 눈에 띌 수 있었습니다. 뭐니 뭐니 해도 그들은 부―타 씨가 그려 주신 캐릭터다… 라고 저는 계속 생각하고 있습니다.

그리고 틀림없이 저보다 진지하게 본문을 읽어 주셨을 교정 및 교열자님, 그 밖에도 이 책의 출간에 관여하신 모든 분에게 진심으로 감사 인사를 전합니다. 감사했습니다.

마지막으로 4권까지 읽어 주신 독자 여러분. 오래 기다리시게 해 정말로 죄송한 마음입니다. 이후에도 여러분이 즐길 수 있는 작품을 만들 수 있도록 계속 노력해 나갈 테니 앞으로도 요시다와 그 주변 인물들의 이야기를 지켜봐 주셨으면 합니다. 얼마 남지 않았습니다.

다시 한번 여러분과 제가 쓴 이야기가 인연을 맺을 수 있기를 바라면서, 후기를 마치도록 하겠습니다.

시메사바

수염을 깎다.
그리고 여고생을
줍다.

수염을 깎다. 그리고 여고생을 줍다. [4]

2021년 7월 10일 초판 발행

저자　시메사바
일러스트　아다치 이마루
캐릭터 원안　부一타
옮긴이　정혜원

발행인　정동훈
편집인　여영아
편집 팀장　황정아
편집　노혜림

발행처　(주)학산문화사
등록　1995년 7월 1일
등록번호　제3-632호
주소　서울특별시 동작구 상도로 282 학산빌딩
편집부　02-828-8838
영업부　02-828-8986

ISBN 979-11-348-9076-6 04830
ISBN 979-11-348-3052-6 (세트)

값 10,000원